Michelle Rieux
juillet 2004

Et quoi encore !

Denise Bombardier

Et quoi encore !

ROMAN

Albin Michel

1

Je suis aimée de Rachid et ça ne me suffit pas. Certains jours, le constater me décourage. Dans ces moments-là, je fuis mon entourage et je m'enfonce dans le travail. Je ne connais rien de plus libérateur que les activités inutiles et insignifiantes car c'est ainsi que je juge désormais le métier de publicitaire. Je suppose que c'est inévitable quand on a passé vingt-cinq ans à vendre du ketchup, du papier de toilette, des contrats de préarrangements funéraires et des couches pour l'incontinence du troisième âge. Ça ne signifie nullement que je me déconsidère. Je gagne ma vie plus qu'honorablement, je continue de faire vivre les jumeaux – vingt ans dans deux mois –, je croise dans le milieu de la pub de jeunes créateurs bourrés de talent, rêvant de réaliser des longs métrages plutôt que des spots de trente secondes et je les encourage à poursuivre leur rêve en leur assurant un revenu alimentaire. Ma relation avec mon associé Henri est devenue aussi confortable que mes vieilles pantoufles. Notre commerce, Henri tique quand j'utilise l'expression, est florissant. Lui a finalement traversé le démon de midi, exit les jeunettes frétillantes à l'ambition dévoreuse qu'il voulait jadis m'imposer comme relève dans l'entreprise, terminé aussi ses angoisses exponentielles, ses idées de fusion avec des boîtes canadiennes pour conquérir le marché « d'un océan à l'autre » comme l'affiche la devise de ce pays. Au fil des ans, Henri a réussi à naviguer d'un parti politique à l'autre si bien que les contrats gouvernementaux nous échappent rarement. Nul ne nous reprochera de pécher par conviction. On est tout à fait de notre époque. Je me déculpabilise en expédiant des chèques substantiels aux organismes de charité et mon amie Hélène, la missionnaire du droit à l'immigration qui se donne toujours corps et cœur à quelques jeunes réfugiés en provenance du tiers-monde, ne se prive pas de me soutirer de l'argent pour des œuvres non plus du tiers mais du quart-monde.

Je me suis beaucoup rapprochée d'elle ces dernières années, probablement parce que je lui dois ma rencontre avec le beau docteur Rachid, comme elle désigne l'ophtalmologiste de ma vie. Je la fréquente aussi par fascination. Son attirance systématique pour les étrangers ne se dément pas. Les derniers, un Tibétain de vingt-cinq ans et un Éthiopien plus jeune encore, ont profité de son mentorat pour ensuite s'acoquiner avec des filles de leur âge qui ont bénéficié du défrichage culturel d'Hélène qui ne semble pas s'en formaliser. « La vie continue », a-t-elle simplement laissé tomber en soupirant, un soir où je l'attendais accompagnée du descendant d'Hailé Sélassié Ier et qu'elle s'est présentée seule à la maison.

Je n'aime pas penser que l'amour de Rachid ne me comble pas. C'est pourquoi je me distrais en commentant avec assiduité la vie de mes proches. Je radote sur eux et, quand je m'en rends compte, je dis à Rachid : « Je suis insupportable. » Il sourit, hausse légèrement les sourcils et répond inlassablement : « J'ai connu pire. » Deux ans depuis notre rencontre chez Hélène. Deux ans au cours desquels il a amplement eu le temps de changer d'opinion à mon endroit. Eh bien, non. En prime, il s'accommode des jumeaux. Avec Albert, ça cause peu de problèmes, encore que la nonchalance de mon escogriffe pourrait l'indisposer mais avec Maud, la reine du drame et de la mesquinerie, demeurer stoïque, et c'est son cas, mérite une médaille olympique.

Les enfants ? L'excuse toute trouvée pour ne pas vivre avec Rachid. Il lui arrive d'évoquer cette possibilité après l'amour, quand il devient presque loquace. Je dis « presque » car, à vrai dire, il parle en effleurant les mots plutôt qu'en les prononçant. La plupart du temps, j'écoute ses silences. Au début de notre relation, il a dû faire un effort, croyant avec raison que, pour entrer dans ma vie, il lui fallait dévoiler certains éléments biographiques. Or je n'ai pas cherché à en savoir davantage. Sans doute pour éviter de lui faire en retour des confidences sur l'échec de mon mariage. Résultat : j'ignore à peu près tout de son passé et même de sa vie actuelle en dehors de moi. Bien sûr, ses journées se passent entre l'hôpital, la salle d'opération et sa clinique. Mais il y a aussi des jours où il s'évapore sans donner de nouvelles, des samedis plus exactement. Souhaite-rait-il que je l'interroge ? Je m'en garde. Pas par stratégie, pire, par manque d'envie. Et de là mon malaise. De cette indifférence que je cultive, laquelle me protège et m'isole de lui.

Depuis quelque temps, mes amies ont cessé de me harceler pour que je me mette en ménage. Devant mon « blocage névrotique », ce sont elles qui le qualifient ainsi, elles ont décrété que j'étais sen-timentalement irresponsable et amicalement irrécu-pérable. Rachel, ma juive anglo préférée, elle qui a rompu avec le franco-catholique David Tremblay à huit semaines du mariage, alors que la robe, les faire-part, le traiteur, l'hôtel, tout avait été acheté et réservé, Rachel affirme à qui veut l'entendre que je suis « fucked-up ». « It makes me sick », répète-t-elle à l'idée que je rompe avec Rachid. Dans son cas, elle a pris l'initiative de la rupture devant les hésitations de plus en plus fortes de son David qui ne dormait plus et, a-t-elle fini par lâcher le morceau, ne bandait plus à l'approche de la circoncision, chirurgie obligée pour passer devant le rabbin, lequel en l'occurrence et féminisme oblige, se révélait être une rabbine.

Rachel, dont la vie trépidante me distrait de l'ombre qui recouvre une cavité de mon cœur. Je ne saurais la situer ailleurs. Une nuit d'insomnie, j'ai même éveillé Rachid pour lui demander de me décrire cette pompe à laquelle on accorde tant de pouvoir. Sans être ahuri, après s'être frotté les yeux, il m'a regardée longuement, tendrement, puis il m'a donné un cours d'anatomie, en s'efforçant de vulgariser comme on le fait avec un enfant. Ensuite, il a demandé : « C'est clair ? » J'ai hoché la tête de bas en haut. Il s'est penché vers moi, m'a effleuré le sein de ses lèvres et s'est retourné de côté. L'instant suivant, il dormait. Son faible ronflement s'est prolongé quelques secondes puis je me suis retrouvée seule avec mon aorte, mes valves et le bruit des battements dans ma tête embrouillée. Au petit matin, j'ai ouvert les yeux. Rachid m'observait avec gravité. J'ai cru qu'il me ferait l'amour, alors je suis restée muette et offerte. Mais il s'est levé et j'ai feint de me rendormir jusqu'à ce qu'il parte. Cette étrangeté entre nous me retient à lui.

Georges, mon ex, attend un deuxième enfant. Treize mois de différence (il n'est pas superstitieux) sépareront Hermance-Octavien – pauvre de lui – du bébé à naître. Cette fois, je ne suis pas seule à trouver qu'il exagère. Les jumeaux sont loin de la jubilation. Maud surtout, d'autant que c'est une fille qui s'annonce. Je me souviens de l'émotion avec laquelle elle avait accueilli H.O. et qui m'avait tant irritée. Albert, lui, est porté à croire que son père était stone au moment de la conception. C'est devenu une lubie chez mon fils de penser que tout comportement déraisonnable, à ses yeux, résulte de l'inhalation de la plante verte. Sauf en ce qui me concerne. A la suite de ses lectures de pop psychologie, il a décrété une fois pour toutes que l'hystérie guide ma vie.

Après avoir subi le charme de son père, reconverti de biochimiste en consommateur bio, engoué de thérapies post-new age, qui l'incitait à partir en Inde à la recherche du karma, Albert s'est soustrait à l'influence paternelle et a abandonné son projet de voyage au pays du Mahatma. Il s'est inscrit en architecture et a choisi la vie de straight, c'est lui qui l'affirme. « La seule façon de se démarquer de la société conformiste, répète-t-il, c'est de porter une cravate, un veston, un imper plutôt qu'un blouson, de fumer avec un porte-cigarette du tabac, tout ce qu'il y a de plus réglo (quel petit con) et de suivre des cours de tango. » Un fils à l'allure de vieux réac qui fait l'éloge des aliments génétiquement modifiés, qui mange du bœuf tous les jours, qui considère que la laitue tant recommandée par son père devrait être réservée aux ruminants et qui vante les mérites de l'abstinence sexuelle, là il pousse fort, car en vidant ses poches de chemises pour les mettre dans la machine – eh oui, je joue encore à la servante avec lui et j'y prends plaisir – je trouve régulièrement des sachets de condoms, c'est tout ce que méritait Georges.

Maud, elle, s'est inscrite à Polytechnique et je la soupçonne d'avoir choisi le génie atomique pour s'assurer qu'à l'avenir je ne pourrai réfuter aucune des affirmations qu'elle émettra au nom de sa science. « J'arriverai à te parler durant des heures sans que tu comprennes un mot », m'a-t-elle dit tout sourire après un échange, vite transformé en engueulade, au sujet de l'habitude qu'elle a de porter mes vêtements puis de les remettre dans la garde-robe sans les laver ou les donner à nettoyer. Par radinerie, elle emprunte mes affaires afin d'économiser les siennes. « Je les garde pour le jour où je n'habiterai plus à la maison : de toute façon, toi maman, compte tenu de ton âge, tu pourrais cesser d'en acheter. T'as assez de vêtements pour tenir jusqu'à la fin de tes jours. Et par-dessus le marché, comme tu suis pas la mode, tes vêtements sont jamais démodés. » Elle me sidère sans même en être consciente. « L'autre avantage, c'est que tu mets le prix pour avoir de la qualité, si bien que ça a toujours l'air neuf. Je suis chanceuse que t'aies la même taille que moi. » J'ai osé ajouter : « Et si c'était le contraire ? » Elle a mis deux secondes avant de saisir. Puis elle m'a répondu avec cet air ennuyé qu'elle me réserve : « Le jour où l'on verra les choses de la même façon, tu ne seras plus ma mère. »

Depuis deux ans, loin de s'amender, ma fille me traite avec une froideur et une condescendance que la présence d'amoureux successifs dans sa vie n'a pas réussi à atténuer. Pour son malheur, je résiste à lui indiquer la porte de sortie. Façon de parler, puisqu'il s'agirait de l'installer en appartement, avec son frère dans un premier temps. Or, je n'ai aucune envie de lui faire ce plaisir. Ses gentillesses apparentes, rares, ne sont que des manœuvres pour obtenir une faveur. Un billet d'avion pour le Sud à Pâques, une bicyclette de montagne à son anniversaire, un abonnement de ski, sans justificatif, « c'est pas un cadeau, c'est une nécessité, le sport fait partie de la santé », c'est ma fille qui le proclame. Sous le prétexte que tout marche bien à l'université et qu'elle travaille l'été comme serveuse dans un bar, elle estime que tout ce qu'elle gagne doit grossir son compte d'épargne. Plus encore : pour chaque dollar reçu, je devrais lui en verser un. « T'as amplement les moyens de nous faire vivre. Je bats des scores dans mes études, je ne suis pas gaspilleuse, ça mérite un petit bonus. » Sûre de son bon droit, je suis étonnée que la politique ne l'attire pas, elle m'a même affirmé que si par malchance je perdais ce qu'elle appelle ma « fortune », elle pourrait envisager, dans le futur, de me venir en aide. « Ça sert à quelque chose, les enfants. » C'est pour ça qu'on dit « investir dans ses enfants ». « Je n'avais jamais pensé à la maternité sous cet angle », lui ai-je répondu. Elle a semblé heureuse de m'apporter un éclairage original sur le sujet. Quelle bonne âme que ma fille, dont l'imagination sert à me prédire des malheurs ! Dans ces moments-là, j'aime la détester. Et sans culpabilité.

J'ai fait une croix sur le jour où Maud baissera la garde et redeviendra la petite chatte affectueuse, admirative, qui rêvait de partir seule avec moi sur la lune « pour que personne ne nous dérange ». Je me souviens des dimanches matin où, toutes les deux, on s'enfouissait la tête sous les draps, on appelait cela faire du camping, pendant que Georges et Albert nous préparaient le petit déjeuner, qu'on prenait tous les quatre dans le grand lit. Ces bonheurs, je les trouvais alors si normaux, après l'enfance que j'avais traversée et dont je ne retiens que la douleur, seul héritage concret de ma mère. Ma mère, à la tête fêlée, groggy par les médicaments et qui a fini par partir sans prévenir en avalant la bouteille entière de pilules vertes, d'un vert comme mes yeux, comme ceux d'Albert mais pas ceux de Maud qu'elle tient de son père.

La nouvelle de la paternité *bis* de Georges devrait me laisser de glace. Eh bien, non ! Impossible de me corriger. Malgré l'amour de Rachid, le si patient qui demeure dans ma vie alors que des centaines de femmes défailleraient de plaisir et consentiraient à marcher sur le corps de leurs amies afin de le retenir auprès d'elles. Au début de ma rencontre avec lui, emportée par la passion, je me suis crue guérie. Hélas, la cicatrisation était superficielle. La séparation, à l'initiative de Georges, me reste en travers de la gorge. Je pense, et j'enrage de le reconnaître, que je tire une satisfaction inavouable à souffrir. Si j'avais le courage, j'admettrais que ce plaisir rattaché à Georges n'est rien d'autre qu'une infidélité à l'endroit de Rachid. Manière de lui en vouloir de m'aimer et de m'obliger à l'aimer.

Et si je n'ai aucune crainte que Rachid me quitte alors que l'expérience m'a enseigné qu'un homme peut quitter sans qu'on s'y attende, c'est que je me garde aussi cette porte de sortie. Je pèche de la sorte par une double infidélité. J'en ai honte et cette honte, gâchant mon plaisir, me tranquillise. Car rien ne m'inquiète plus que la vie apparemment heureuse. Je fuis les gens radieux, les béats, les trop lisses. Que peut-il survenir d'autre que des catastrophes dans leur vie ! Avec mes amies tordues, je suis perpétuellement rassurée puisque le pire est aussi prévisible que le meilleur. Quant aux enfants, je les maintiens sur la corde raide, je n'hésite pas à les déstabiliser et j'entretiens avec eux des rapports d'affrontement, avec Maud, ça m'est naturel, afin qu'ils soient armés dans l'adversité. L'éducation dans la ouate, quelle calamité. Les rares fois où j'ai tenté d'expliquer ma vision des choses à Rachid, il a réagi avec force. Il s'est senti menacé, j'imagine.

Question qui s'impose : peut-on aimer quelqu'un à qui l'on ne peut tout confier ? Réponse : je l'espère.

2

Mon impatience s'accentue avec l'âge. Moi qui croyais qu'à cinquante ans on parvenait ou à la sérénité ou à l'abdication, je me découvre encore plus impatiente. Avec mes amies au premier chef. J'ai ainsi décidé de m'éloigner de Claire. Son métier de psychiatre n'est apparemment d'aucun secours pour l'aider à rompre la relation mortifiante qu'elle entretient avec un homme mal mais définitivement marié. J'ai beau me répéter que chacun choisit sa voie, que l'amitié impose ses lois dont celle d'accepter ses amis sans les juger ou les changer, je refuse d'assister passivement à la lente auto-flagellation de Claire. Cette dernière est toujours prête à excuser son amant pour ses absences et ses rendez-vous annulés à la dernière minute à cause des crises de l'épouse supposée suicidaire qui finira par les enterrer tous les deux. Il y a deux ans, j'ai cru et espéré qu'elle allait s'en sortir quand, dans un sursaut d'indignation, elle a pris ses distances avec John, médecin exquis, raffiné, cultivé mais par ailleurs bien installé dans une double vie faite de feintes, de mensonges et de faux-semblants.

La dernière fois que j'ai mangé avec Claire, je l'ai trouvée plus fanée que jamais. Le maquillage n'arrive plus à masquer ses traits tirés, sa bouche s'affaisse, curieux, elle semble avoir de la difficulté à la fermer complètement comme si un poids retenait sa lèvre inférieure et ses yeux s'embuent à la moindre émotion, si bien qu'on la croit sans cesse sur le point de pleurer. J'ai évité de boire un café à la fin du repas afin d'écourter notre tête-à-tête. J'étais accablée devant le gâchis, car nous sommes arrivées à un âge où le temps est irrattrapable, ça passe ou ça casse. Dans le cas de Claire, j'ai l'impression que la cassure est la somme d'une multiplication de fêlures. Rien pour remonter le moral. De toute façon, elle m'a paru presque indifférente à elle-même. A moins qu'elle ne s'engourdisse avec des médicaments, une possibilité qui m'échappe. J'ai plus de facilité à reconnaître un buveur de vodka qu'un bouffeur de pilules. Je suis triste pour elle, encore que je lui en veux de sa soumission, cette façon de jeter la serviette. Et je suis triste pour moi. Voir ses amies à la dérive, quelle déprime ! Enfin, si elle me téléphone, je ne me soustrairai pas mais je n'ai plus aucune envie de subir sa torpeur. J'ai besoin de m'entourer de tordus, certes, mais de tordus qui pètent d'énergie.

Comme Louise qui a fini par mettre le grappin sur un Nippon en transit pour New York, à la recherche d'un emploi dans un jardin botanique, si j'ai bien compris. Louise, reconvertie à la japonerie, zen d'allure, de nourriture et de mobilier, vit un conte de fées exotique. Elle a repris la dentisterie qu'elle avait un temps abandonnée en même temps que Paul son mari. Les billets d'avion pour Tokyo, afin de s'initier à la cérémonie du thé, de se familiariser avec le théâtre nô et de communier à l'esthétisme des temples du Kansai, nécessitent des revenus que son nouveau métier de décoratrice sur le tard n'arrivait pas à égaler. Il est plus payant de demander aux gens d'ouvrir la bouche que de délier les cordons de leur bourse pour des conseils d'ameublement. Satsuo, la trentaine non déterminée, casse-tête de mettre un âge sur une tête asiatique, et pour tout dire, Louise préfère demeurer dans le vague, Satsuo, avec notre aide, s'est trouvé du travail chez un fleuriste. Ses bouquets, dont le dépouillement est inversement proportionnel à leur prix, font fureur. Du moins dans notre cercle d'amis où, sentiment de solidarité aidant, l'on dédaigne désormais les roses, les œillets, les iris, les oiseaux de paradis, toutes ces

21

fleurs qui ont l'allure, la forme, le parfum de ce que l'on appelle, nous, des fleurs. Notre groupe ne jure plus que par des branches sans feuilles, des herbes parsemées et des compositions végétales. Je suis tentée de croire que Satsuo, dans son pays, faisait plutôt office de pêcheur de perles, lesquelles sont difficilement trouvables dans le fleuve Saint-Laurent.

Depuis son divorce, je n'ai jamais eu une conversation profonde et introspective avec Louise. Notre vieille amitié a été suffisamment secouée par sa décision de rompre non seulement avec son mari exemplaire mais avec sa vie de famille. Ses deux filles, à ma connaissance, ne la fréquentent plus, ce qui signifie qu'elle continue de se priver de la présence de son petit-fils. Quarante ans d'accointances amicales ne me permettent pas de la décrypter. Je la croyais un parangon de fidélité conjugale alors que ces dix dernières années elle s'envoyait en l'air avec des partenaires jetables qu'elle rabattait soi-disant pour ses amies esseulées mais qu'elle réservait d'abord pour sa propre consommation. Je ne doutais point de son dévouement maternel, je jalousais même son tact, sa diplomatie et son infinie patience dans les relations qu'elle avait établies avec ses filles, surtout à l'adolescence alors que, personnellement, j'ai toujours foncé tête baissée pour affronter les jumeaux. Je m'extasiais devant la prévenance avec laquelle elle répondait aux moindres caprices ou fantaisies de Paul et voilà que, dans une secousse tellurique, semblable à celles que l'on observe au Japon mais jamais sur le continent nord-américain, elle a fait exploser sa vie et reste de glace en voyant les morceaux, en l'occurrence Paul et ses deux filles, projetés en l'air pour retomber hors de son champ de vision.

Je me garde bien de parler de Rachid avec Louise. Le contraire n'est pas vrai car elle s'est entichée de Rachid depuis qu'il lui a sauvé un œil, suite à un décollement de la rétine. De là à la soupçonner de m'encourager à demeurer avec lui dans le seul but d'avoir un accès direct à un ophtalmologiste haut de gamme, il n'y a qu'un pas que je franchis volontiers. Car Louise a développé la phobie de devenir aveugle. Si Claire, moins démoralisante, était toujours fréquentable, elle me confirmerait sans doute le lien entre la crainte de la cécité et l'aveuglement de Louise.

Louise traite Satsuo avec des égards qui surprennent quiconque les croise. En sa présence, elle se liquéfie, sourit sans raison, écoute ses rares remarques comme s'il s'agissait de révélations scientifiques susceptibles de le mettre en lice pour un prix Nobel. Il bégaie le français et parle anglais avec un tel accent qu'on croit que c'est du japonais. Heureusement, c'est un maître en cuisine, si bien que les dîners qu'elle organise se déroulent en dehors de sa présence. Pendant les repas, Louise disparaît de la salle à manger à intervalles réguliers et revient toujours l'air radieux. « Satsuo se surpasse, vous ne serez pas déçus », répète-t-elle. D'ailleurs, c'est devenu sa phrase passe-partout. Elle l'applique aux bouquets qu'il compose, à la musique, crispante pour des oreilles non initiées, qu'il choisit, aux réaménagements des pièces de son appartement qui ressemble désormais à un lieu désert plutôt qu'à une habitation. « Tu dois avoir envie d'aller coucher à l'hôtel parfois », ai-je eu le malheur de lui dire après qu'elle s'était débarrassée d'un confortable canapé au profit d'une espèce de récamier soleil levant, bas sur pattes et dur comme du béton précontraint. « C'est pas la première fois que je te le dis, Jeanne, mais ça sera la dernière. T'es une bornée, esclave de ta culture. Même avec un Égyptien dans ta vie, ton esprit demeure fermé. » « Tu te trompes, ai-je répondu, tous les soirs avant qu'on se mette au lit Rachid m'enroule dans des bandelettes. » « Pauvre Jeanne, dire que tu te penses drôle. » On en est à ce stade dans nos échanges. Pourtant, ni l'une ni l'autre n'a envie de rompre. Je suis finalement le seul vrai lien avec son passé. Rien n'empêche que la fréquenter représente ainsi un appui à la folie quinquagénaire délirante.

J'ai maintenu le contact avec son ex, à l'incitation de Louise, je le précise. D'une certaine manière, j'assure, par procuration, la continuité avec notre vie commune passée. La gentillesse proverbiale de Paul à laquelle j'ai toujours été sensible, je sais désormais qu'elle camouflait une passivité dont on découvre qu'elle devient mortelle avec le temps. Paul, le parfait, le compréhensif, le tolérant, transformé en victime sacrificielle, nous a tous bluffés. Trois mois après le départ de mon amie, il se remettait en ménage avec une orthodontiste, plus jeune, plus fade, plus insignifiante pour tout dire, donc plus reposante que Louise. Cette Sophie-là a étendu son corps athlétique dans le lit conjugal sans même se débarrasser de la literie de ma toujours amie, j'en mettrais ma main au feu. Car Paul a tout conservé du décor de son ancienne vie, même les objets évocateurs de son mariage, coquillages ramassés sur les plages du Maine où l'on se retrouvait avec nos enfants, bouquets séchés des anniversaires, tous ces ramasse-poussière d'une vie envolée en fumée qui trônent sur les étagères du salon. Les rares fois où je dîne chez eux j'en suis ébahie, mais je n'oserais m'y soustraire. Les décennies qui nous lient permettent de reprendre la conversation comme si de rien n'était. Sophie ne s'efforce même pas de jouer à l'intéressée mais Rachid, considérant que je suis une bonne âme d'agir de la sorte, essaie d'être un spectateur actif. Je le soupçonne d'apprécier ma fidélité pour se rassurer. Tous les hommes de mon entourage se sont sentis menacés par le geste radical et brutal de Louise. Annoncer à son mari retour de voyage qu'on le quitte dans les vingt-quatre heures sans raison particulière après trente ans de vie commune suppose un sacré caractère. Et quelle injustice entre les sexes. A-t-on déjà vu des femmes refuser de fréquenter des hommes à forte personnalité et à vie amoureuse tumultueuse ? Au contraire, les femmes s'agglutinent autour des tombeurs professionnels au gros ego, chacune croyant qu'elle transformera le loup vorace en matou docile et repu. Pas de mystère au fait que le séjour terrestre féminin soit une vallée de larmes.

Depuis quelques mois, la maison ne désemplit pas. Je doute que les jumeaux aient lu le célèbre essai d'Ivan Illich sur la convivialité qui m'avait tant enthousiasmée mais ils appliquent concrètement l'idéal du prêtre philosophe. Maud et Albert dorment à la maison avec leurs amoureux du moment, les couples amis campent des jours, voire des semaines dans le sous-sol transformé en bed and breakfast, que dis-je, c'est non seulement le petit déjeuner mais le dîner et le souper qui leur sont fournis, bref, mon domicile est devenu le quartier général d'une jeunesse bruyante, exaspérante mais, je l'avoue, stimulante. Les prises de bec certains soirs autour de la table débordante de bouffe due à ma largesse de bourse, « t'es généreuse, maman. Je ne connais pas de parents aussi prodigues. Tous nos amis sont épatés », déclare Maud, les engueulades, donc, ne se terminent jamais avant minuit, heure à laquelle ces oiseaux de nuit trouvent naturel d'aller dans les bars débuter leur soirée. Les remerciements et les petits cadeaux sont rarement le fait des plus assidus mais Maud veille au grain. Elle m'a annoncé toute fière qu'elle organisait depuis quelques semaines une cagnotte, sorte de prix d'entrée, dont les bénéfices serviront, elle a tous les culots, à nous offrir, « les trois couples », entendre, elle et son Stéphane actuel (à la date prévue, ça pourrait changer), Albert et Caroline (ça tient depuis deux mois déjà), et Rachid et moi, un repas dans un des meilleurs restaurants de la ville. « J'ai envie d'augmenter le prix pour ceux qui boivent beaucoup. Qu'est-ce que t'en penses, maman ? On n'a pas à se faire exploiter », a-t-elle ajouté sur le ton assuré et cassant qui lui sied si bien. « Ça ne sera jamais ton cas », que j'ai répliqué. Elle l'a pris comme un compliment et s'est retenue, je l'ai senti, pour ne pas m'embrasser.

La sociabilité des jumeaux, même si j'en paie le

prix, me rend quasi heureuse. D'abord je les garde auprès de moi et, contrairement à certains parents, je ne rêve pas de les voir partir au nom d'une nécessaire autonomie qui n'est rien d'autre, la plupart du temps, qu'un ras-le-bol de pères et mères pourvoyeurs, désireux de poursuivre leur vie de baby-boomers égotistes. A leurs yeux, les jeunes sont des compétiteurs qui volent l'attention qui leur revient et drainent une énergie que les adultes revendiquent pour eux-mêmes.

Et puis, les discussions autour de la table me permettent de saisir l'air du temps, grand avantage dans mon métier, obsédé de tendances, de modes, et obnubilé par le jeunisme. J'avoue que ma démarche n'a rien d'angélique mais j'ai cessé de me torturer sur les contradictions qui m'habitent. Rien ne m'horripile comme les faux-culs qui affichent des principes et les nient au quotidien. J'éprouve de l'aversion à l'endroit des donneurs de leçons, adorateurs de tous les démunis de la terre, qui ne s'interrogent jamais sur la main-d'œuvre sous-payée des sous-continents qui sue dans des usines-taudis pour fabriquer la guenille branchée qu'ils se mettent sur le dos, des fanatiques défenseurs des gens de couleur qui vivent entre eux dans des quartiers propres et blancs comme des lavabos, des anti-impérialistes qui font la navette entre leur appartement du quartier gentrifié d'où l'on a chassé les pauvres et New York ou Cape Cod ou Paris ou Bangkok. J'aime m'indigner parfois. Ça me rappelle le temps où je confondais nuances et compromis, rêves et réalités, amour et bonheur.

Rachid et moi dînons chez lui en tête à tête ce soir. C'est son souhait. A chaque fois que cela se présente, le trac me saisit. Je crains toujours qu'il m'annonce une nouvelle terrible. Par exemple, qu'il me quitte, qu'il est atteint d'une maladie mortelle, qu'il me place devant le choix crucial de vivre avec lui ou de me retirer de sa vie. A ce jour, rien de tout cela n'a existé. Peut-être ai-je seulement besoin de l'imaginer. Pourquoi la catastrophe appréhendée demeure-t-elle le moteur de mon sentiment amoureux ? Saurai-je aimer et être heureuse avant de quitter cette terre ? Si je lançais un appel à l'aide sur Internet, avec de la chance, des psys me répondraient.

3

Il a ouvert la porte, son regard s'est assombri, j'ai défailli et il m'a entraînée au lit. Je n'étais pas au bout de mes peines. Tout chrétien qu'il soit, il m'a labourée tel qu'indiqué dans le Coran. J'ai consenti à tout. Et ce tout, hier, m'a fait franchir une autre limite. Je n'arrive pas à comprendre le pouvoir de sa volonté sur le déclenchement de mon désir. Avant de connaître Rachid, j'ignorais la contradiction entre la tendresse et le sexe. Pendant l'amour, les sentiments m'étouffent. J'aime que Rachid ne m'aime pas lorsqu'il s'empare de mon corps. Jouir contre ma volonté avec l'impression de me dédoubler, de devenir voyeuse de cette autre femme dont je ne sais plus si elle est moi ou, pire, si j'ai le droit d'être elle, me bascule instantanément dans le plaisir. Un plaisir dans lequel Rachid me noie. « Merci », ai-je dit après. Il a souri, a tendu la main pour saisir sa montre qu'il dépose toujours dans le même angle de la table de chevet et en découvrant l'heure, s'est écrié : « Oh, il est tard, je comprends que j'aie si faim. » A cet instant précis, j'ai su que je le rendais heureux. Dans une heure hélas, je vais recommencer à en douter.

Vers vingt-trois heures, alors qu'on s'apprêtait à dormir, le téléphone a sonné. Contrairement à son habitude, Rachid a répondu. C'était Maud qui m'annonçait l'arrivée prématurée de sa demi-sœur. « Papa est inquiet, très inquiet même. Annette est aux soins intensifs. L'accouchement se déroule mal. Elle fait une hémorragie, je crois. Je pars à l'hôpital. Viens me rejoindre, maman, ça me calmerait. » J'ai répondu : « Je te rappelle » et j'ai raccroché. J'ai demandé à Rachid quoi faire, je souhaitais qu'il décide à ma place. Il a simplement dit : « Fais ce que tu ressens. » J'ai répondu : « Je ne ressens rien. » Il a ajouté : « Tu te leurres. » Je ne voulais pas plonger dans le drame familial de Georges, je ne tenais pas à le voir souffrir à cause d'une autre femme et l'idée que cette femme puisse mourir, et que je devienne la consolatrice en titre de mon ex-mari, m'atterrait. J'ai repris le combiné et rejoint Maud sur son cellulaire. Elle était dans un taxi et, en entendant ma voix, elle a fondu en larmes. « J'arrive », ai-je dit. Rachid semblait soulagé. « Tu as peut-être cru que j'étais un monstre », lui ai-je lancé sans gentillesse.

« Je pense surtout que tu te protèges pour avoir la force de soutenir ton monde. » Mon monde. Rachid avait raison, j'étais liée à tous, Georges, les jumeaux et ce bébé du même sang, un patrimoine indélébile, celui des gènes mais aussi celui des sentiments.

Dans la voiture, l'émotion m'a gagnée. Et cette émotion neuve a ramené les vieilles, celles enfoncées sous la couche sédimentaire des mois et des années. Je suis arrivée à l'hôpital en larmes et il m'a fallu un effort surhumain pour me ressaisir avant d'affronter Georges, Maud et, je le supposais, les membres de la belle-famille. Je me préparais à vivre tout ce que je m'étais juré d'éviter.

Lorsqu'il m'a aperçue, visiblement notre fille ne l'avait pas prévenu, ce qui est étrange, Georges s'est immobilisé. Il m'a dévisagée et a attendu que je fasse les premiers pas. Maud se tenait à distance. Je me suis avancée vers lui, l'époux au visage crispé par l'angoisse. Cet homme que j'avais aimé à vingt ans, à trente ans, à quarante ans, cet homme dont le corps était pour moi comme une carte géographique familière sur laquelle je pouvais situer à un milli-mètre près les taches de naissance, les petites cica-trices, les marques des maillots de bain successifs jusqu'à notre séparation, cet homme qui, à cet ins-tant, réclamait mon affection, ma compassion, cet homme avait encore besoin de moi. J'ai ouvert les bras et il a enfoui sa tête dans mon cou comme Maud lorsqu'elle était petite. Lui, si grand, fléchissait les genoux afin que je l'enserre. Je l'ai laissé se lover, ses hoquets de larmes me secouaient, il me serrait en tremblant et en murmurant : « Merci, merci, merci ! » Je n'osais bouger de crainte qu'il ne s'effondre et parce que je retrouvais intacte une vieille intimité dans nos corps enlacés. Sa peine me déchirait, mais je m'interdisais de pleurer. Car mes larmes, je le savais, allaient couler sur moi-même, sur ma propre douleur, celle dans laquelle son abandon m'avait plongée. Dans ces circonstances, il était indécent de m'apitoyer sur mon sort ancien. Quelques minutes ont passé qui ont semblé des heures. Secouée mais les yeux secs, j'ai enfin senti son étreinte se desserrer. Maud nous observait toujours et j'ai cru lire dans son regard une satisfaction qui ressemblait à une joie.

Puis tout s'est déroulé très vite. Une très jeune femme, je lui aurais donné l'âge des jumeaux, s'est avancée vers Georges. Elle a dit : « Je suis médecin. J'ai de bonnes nouvelles, votre femme est sauvée. » Il s'est tourné vers moi comme si j'allais lui indiquer ce qu'il fallait faire. Alors j'ai dit : « Va la voir. » Il a répondu, comme apeuré : « Tu crois ? » J'ai interrogé la docteure du regard, elle a acquiescé et il est parti vers sa vie retrouvée, sans dire un mot, sans m'embrasser. Maud s'est approchée de moi, a enlacé ma taille de son bras, ça faisait si longtemps que je n'espérais plus un tel geste, et nous avons quitté l'hôpital en silence. Une fois dans la voiture, elle a dit : « Viens dormir à la maison, ça me ferait du bien. » J'ai répondu : « Non, ma chérie, je retourne chez Rachid. J'ai besoin de lui, cette nuit. » Elle a fait la moue puis s'est ressaisie : « Je te comprends, maman. Je suis pas insensible. D'ailleurs, Rachid, je le trouve très bien. » C'était la première fois qu'elle portait un jugement sur lui. L'aurait-elle fait si elle n'avait assisté à la scène qui venait de se dérouler sous ses yeux ? Trop épuisée pour y penser, je me suis tue. Je l'ai déposée devant la maison. Il était deux heures du matin et Albert est arrivé sur les entrefaites. « Qu'est-ce qui se passe ? » a-t-il demandé intrigué, en s'approchant de la voiture. « Le bébé est né. Annette a failli mourir et maman est venue consoler papa à l'hôpital. » Mon fils s'est penché, a passé la tête à travers la glace baissée et, en écrasant ses lèvres sur ma joue, a murmuré à mon oreille : « T'es championne, maman. »

Je me suis glissée doucement dans le lit auprès de Rachid. Il a bougé, puis il a marmonné : « J'ai appelé l'hôpital, je sais que tout va bien. Mets ton bras autour de ma taille et dors maintenant. » J'ai répondu : « Oui, docteur. » J'ai fait ce qu'il me demandait sauf que je n'ai pas dormi. Je venais de tourner une page avec Georges et je ressentais cet apaisement tant attendu. Si Rachid remettait sur la table le projet de vie commune, j'allais y réfléchir sans poser d'entrave et sans arrière-pensée, cette fois.

Rachel essaie de me convaincre des bienfaits de la thalassothérapie. Elle voudrait que je l'accompagne à Fargo, dans le Dakota du Nord où, paraît-il, on déplisse des quinquagénaires, pas trop abîmées, comme nous, selon des méthodes révolutionnaires. C'est elle et la pub du spa hors de prix qui l'affirment. L'idée de muter mon corps ne me sourit qu'à moitié et je me garde bien de faire part à Rachel de mes craintes concernant les dispendieuses et discutables injections qu'elle se fait administrer chaque semaine. Non pas que je m'oppose à quelques réparations des ans, l'irréparable outrage, mais sa recherche systématique des dernières techniques de la chirurgie esthétique va bientôt l'empêcher d'ouvrir les yeux et la bouche comme toute personne normalement constituée. Comment réussira-t-elle à plaider ses causes de divorce avec autant de verve et de choc si elle n'arrive plus à articuler ?

Cette obsession de vieillir, j'y échappe en partie grâce à Rachid qui me renvoie mon image embellie, magnifiée même. Je ne suis pas dupe du gonflement léger mais continuel de mon ventre, des bourrelets installés désormais autour de mes hanches, du grossissement de mes seins, ce qui les alourdit, donc les affaisse progressivement, jusqu'où, je n'ose l'imaginer. Lorsque je m'observe de pied en cap dans le miroir qui se trouve dans ma salle de bain, et c'est de plus en plus rare, je ne mets jamais de lunettes, je me tiens sur la pointe des pieds et je rentre le ventre, selon les directives de mon entraîneur de gym, une nouveauté dans ma vie, « le nombril collé aux reins ». Le résultat est acceptable. Le choc survient lorsque je me maquille à l'aide du miroir grossissant sans lequel je risque de me transformer en poupée Barbie, car ma presbytie s'accentue inexorablement. Chaque matin donc, je suis témoin de vingt-quatre heures d'usure supplémentaire. Les jours où le moral est moins tonique sont ceux où les découvertes surviennent. Une accentuation des rides du sourire, une tache brune supplémentaire à la hauteur de la tempe, un froissement de la peau sous la paupière et l'agrandissement imprévu mais définitif d'une cicatrice, un coup de bâton de hockey quand j'avais huit ans, au-dessus de l'arcade sourcilière, et qui permet désormais de découvrir la trace blanche sans sourcil que je m'applique à brunir avec un crayon. Rachel m'assure que ces détériorations, pas de raison de mâcher les mots, passent à peu près inaperçues. « Même chez ceux qui portent des lunettes ? » ai-je demandé. « Ce ne sont pas des loupes », a-t-elle rétorqué. J'avoue que sa remarque a réduit mon irritation. Je me console en constatant qu'il reste encore des hommes à l'abri du virus des trentenaires, qui servent de détonateurs sexuels à tant d'autres incapables de faire leur deuil de ces années érectiles fastes où les vibrations du bus suffisaient à les mettre à feu.

Cela dit, toute rencontre entre femmes de mon âge se termine par des échanges d'informations sur des traitements antirides en crèmes, en pilules ou en piqûres, sur l'ajout à la liste commune de chirurgiens esthétiques « géniaux » car chaque femme tirée se transforme en prosélyte de son docteur, « le plus grand, le meilleur, le plus habile de ses doigts », qui vaut ce qu'il coûte, c'est-à-dire la peau des fesses.

A ce jour, je n'avais jamais envisagé d'avoir recours à cette panoplie illusoire. Or mon miroir, grossissant et c'est pourquoi je divise en trois ce que j'aperçois, n'a rien pour me réjouir. Je suis donc en train de reconsidérer ma position quasi idéologique. J'ai succombé au pot de crème au rétinol à deux cents dollars, je m'enduis désormais d'une huile au yan sauvage et à l'algue brune, jour et nuit je régénère grâce au contenu d'un pot saumoné dont la notice consiste en une nomenclature de symboles chimiques qu'il me semble préférable de ne pas décoder. J'ai acheté ces onguents après que Louise, qui se couvre régulièrement le visage des feuilles d'algues vertes dont on entoure les sushis, et Rachel, qui a évolué des injections d'ovules de belettes à celles plus dispendieuses encore de sperme de yak, ce ruminant tibétain qui risque dans l'avenir d'assurer la vitalité de la peau des femmes plutôt que la reproduction de l'espèce, je me suis empressée de me procurer ces trésors après que ces deux prosélytes m'ont prédit un visage semblable à celui d'Einstein sur sa célèbre photo. Je m'apprête aussi à recourir au botox, le curare des urbaines occidentales, et je me résoudrai à me faire tirer la peau du cou si je me vois dans l'obligation de porter un foulard non pas sur la tête, Mahomet m'en garde, mais autour du cou, comme si je masquais un goitre. A vrai dire, ce sont moins mes amies que le choc éprouvé lors d'une réunion de mes anciennes compagnes de classe qui a eu raison de mes réticences. Sur la quarantaine réunie, plus de la moitié m'ont semblé avoir le double de mon âge. J'en ai déduit que c'était forcément une vue de l'esprit, on est parfois trop clément avec soi-même, en même temps je ne suis pas guettée par l'aveuglement. Disons qu'elles m'ont obligée à regarder en face ce que je pourrais devenir plus tard sans les béquilles esthético-pharmaceutiques.

Rachid m'a demandé hier, à brûle-pourpoint :
« En quelle année ta mère est-elle morte ? » « Pourquoi me poses-tu cette question ? » ai-je failli dire
mais je me suis retenue et j'ai donné platement la date.
Je ne me suis pas encore résolue à lui avouer qu'elle
s'est enlevé la vie. Certains mots sont imprononçables
pour moi, même en pensée. « S'est enlevé la vie » est
l'expression la plus neutre que j'aie trouvée. Enlever
la vie, comme enlever la poussière ou enlever sa robe.
En avouant à Rachid ce qui s'est passé, j'ai peur qu'il
en conclue, compte tenu de l'hérédité, que la folie me
guette ou que j'envisage de m'enlever la vie à mon
tour. Or, depuis mon plus jeune âge, je me suis toujours sentie étrangère à ma mère. Ses drôleries dégui-
sées comme mettre les chaussures au frigo, sortir l'été
avec son manteau de fourrure sur le dos, quelle honte
j'éprouvais, cuire une dinde dans le sirop d'érable et
l'eau de Javel m'apparaissaient des extravagances plus
ou moins apeurantes. Sa folie, c'est en prenant de l'âge
que j'en ai craint la contagion. Pendant ma grossesse,
je suis devenue obsessionnelle. Après l'accouchement,
je surveillais tous les gestes des jumeaux, leur façon
de crier, de pleurer, de sourire aussi. Puis je me suis
rassurée devant leur plaisir de vivre. Ma frayeur s'est
estompée, j'ai lutté pour l'oublier. Et je me suis entourée de névrosés normaux. Mes enfants, mes amis,

Rachid à sa manière, tous ceux que je laisse m'approcher sont normaux. J'ai donc gagné sur la folie mais pas au point de le proclamer. Je le tais à l'homme que j'aime. Ce secret comme échappatoire. Pourquoi, grands dieux ?

Ce matin, pour une rare fois, nous prenions seuls le café, dans ma cuisine, et Rachid m'expliquait le fonctionnement d'une nouvelle caméra numérique, cadeau d'un client satisfait. Ça m'a rappelé que ma mère nous faisait prendre la pose des heures durant, mon frère Marc et moi, et qu'elle nous photographiait mais sans mettre de film dans la caméra. Nous étions consentants sans être dupes. L'envie m'a prise de raconter l'épisode à Rachid, ce qui l'a autorisé à me questionner. J'ai répondu avec application, sur un ton factuel avec l'impression de décrire un personnage inconnu. Rachid, fasciné, ne me quittait pas des yeux. Moi j'écoutais cette narratrice dont j'avais la voix, pour la première fois, sans frayeur. Puis je me suis tue. Rachid n'a pas bougé. Il est resté de longues minutes immobile. J'attendais qu'un bruit, un son, un geste brise le silence qui nous recouvrait tous les deux. Avec douceur, il a enfin emprisonné mes mains entre les siennes et les a effleurées de ses lèvres comme dans les débuts de notre rencontre. Sans sourire, il a ensuite prononcé une petite phrase que je me répète sans cesse depuis ce matin : « J'aime tout de toi. »

4

La mère de Georges, malgré le divorce, est toujours ma belle-mère. Ça me réjouit. De plus, elle ne cesse de me surprendre. A quatre-vingt-quatre ans, elle est retombée en amour « avec un jeune de soixante-quinze ans, ma chère, et beau comme un évêque », m'a-t-elle annoncé au téléphone il y a trois mois. « Il n'est pas trop onctueux ? » ai-je répliqué pour rester dans la référence religieuse. « D'une extrême onction, ma chère enfant, mais je vous assure que je suis loin de me sentir à l'agonie en sa présence. » Y a des gens qui ont le don de nous requinquer. Un vrai cadeau !

Je me demande souvent comment une femme si tonique, si combative, si défiante, a pu enfanter un garçon aussi fuyant, lunatique et passif que le Georges actuel, qui s'est déclaré en année sabbatique depuis dix-huit mois et qui a eu le culot de demander à sa mère une partie de son héritage, il me l'a avoué sans vergogne en m'annonçant que, « vu les circonstances délicates », l'expression est de son cru, il mettait un terme à la mince pension alimentaire pour les jumeaux. « Ce sont des adultes », a-t-il décrété tout en me conseillant, sollicitude à mon endroit et vacherie à leur égard, de leur couper les vivres. « Qu'ils gagnent leur croûte, paient leurs études et volent de leurs propres ailes », a-t-il décrété. Tiens donc, après avoir incité Albert à sauter en parachute, voilà qu'il pense transformer la chair de sa chair en Piper monomoteur. Je l'ai remercié chaleureusement de ses conseils et félicité de sa décision de se sabbatiser. Il m'a souri à pleines dents. « Je te reconnais bien là. C'est la Jeanne que j'ai tant aimée. » En se rendant compte qu'il dépassait peut-être les bornes, il s'est raclé la gorge (oh que de souvenirs rattachés à ce tic), ça lui a permis de se ressaisir et il a prétexté un pleur d'Hermance-Octavien pour raccrocher. Je l'ai imaginé en position du lotus au cours de sa séance quotidienne de yoga, cet après-midi-là. Il a dû léviter, j'en gagerais ma chemise de nuit à quatre cents dollars.

Ma belle-mère m'a invitée à déjeuner. « J'ai besoin de vos conseils, ma chère Jeanne, car ça n'est certainement pas à mes propres enfants que je peux me confier. » Elle a toujours le don de me mettre sur le gril. « Vous piquez ma curiosité », lui ai-je répondu. « C'est exactement ce que je souhaite. Vous verrez, vous ne serez pas déçue », a-t-elle ajouté toute guillerette. A son âge, belle-maman échafaude plus de projets que Maud et ses amis qui se déclarent en « réflexion d'avenir », un jour sur deux.

Elle avait choisi le restaurant le plus branché de l'heure. « Quand on est vieille, si on veut éviter le radotage, il faut constamment se secouer et surtout s'entourer de plus jeunes : ces dernières années, les nouvelles amies que je me suis faites ont entre quarante et soixante-cinq ans. Ça me garde en vie. » « Vous boudez les retraités », ai-je remarqué en riant. « Je les fuis comme la peste. Ils font la sieste l'après-midi et vous expliquent que, pour dormir la nuit, il faut manger léger le soir. Quand ils partent en voyage pour quelques jours, ils préparent leur valise une semaine à l'avance et coupent l'électricité et l'eau chaude pour économiser. » En m'attendant, ma belle-mère s'était commandé un dry Martini. « Vous m'accompagnez ? » « Non, merci, je travaille cet après-midi, j'ai besoin de toute ma tête », ai-je répondu sans y penser. Elle a feint d'être fâchée puis s'est exclamée : « Eh bien, Jeanne, estimeriez-vous que j'ai perdu la mienne si je vous annonçais que je suis tentée de me remettre en ménage avec mon Apollon septuagénaire ? » Elle s'attendait à une réaction et je ne l'ai pas déçue. J'ai poussé un cri. Esto-maquée et conquise, j'étais face à une femme qui brisait tous les stéréotypes, une femme plus libérée que mes amies et moi réunies. « Alors, dites quelque chose. Je suis déraisonnable ? » Elle continuait de m'interroger du regard. J'ai répondu : « Ça se fête. Au diable le travail. » La veuve Clicquot s'est jointe à nous et j'ai passé deux heures de bonheur avec la mère de Georges à la santé duquel on a même levé nos coupes. Sous l'effet grisant des bulles, j'ai osé demander à belle-maman ce qui me trottait dans la tête. « Répondez-moi si vous voulez, ai-je dit pour ne pas la rendre mal à l'aise, l'étant moi-même un peu, faites-vous l'amour ? » Elle est devenue exta-tique puis s'est ressaisie comme si son ancienne vie de dame distinguée reprenait le dessus. Elle a baissé le ton comme à confesse. Je me suis penchée vers elle et elle a eu cette phrase qui m'a mise dans l'allé-gresse : « Ma chère enfant, je n'ai de ma vie jamais éprouvé autant de désir. S'il n'en tenait qu'à moi, on le ferait plus souvent. Mais vous verrez qu'à soixante-dix ans les hommes font l'économie de leurs forces. Parfois, je me dis qu'Hector a peut-être peur de claquer d'une crise cardiaque. Vous vous souvenez du cardinal Daniélou, en France, mort en train de confesser, couché sur elle, une fille de joie.

Ça s'appelle l'épectase, chère. » Sur ce, on s'est commandé deux cafés irlandais.

Complètement pompette, le mélange d'alcool et les propos étourdissants m'ayant mise hors circuit, j'ai appelé le bureau et prétexté un début de grippe pour annuler mes rendez-vous de l'après-midi. Étrange, ce besoin de me justifier alors que je suis la copatronne de la boîte et que je devrais normalement agir comme bon me semble. La culpabilité et le mensonge... que la vie serait insipide sans ces condiments. Belle-maman et moi n'avions aucune envie de nous séparer, alors on a décidé de faire du lèche-vitrine, bras dessus, bras dessous. Devant un pet-shop, nous sommes tombées en pâmoison, à contempler des chatons persans aux miaulements attendrissants. Ma belle-mère m'a entraînée à l'intérieur de la boutique et, l'alcool réduisant le jugement, j'en suis ressortie avec une boule de poils grise qu'elle m'a offerte et qu'on a baptisée Valentin, en nous trouvant géniales. Nous avons hélé un taxi en gesticulant comme des folles et j'ai laissé la jeune fiancée devant son immeuble de verre que je connais trop bien car y habitent aussi Louise et Rachid. Ayant une clé, j'ai bien été tentée de monter à l'appartement de ce dernier afin de lui faire la surprise quand il rentrerait mais, bizarrement, j'évite de pénétrer chez lui lorsqu'il n'y est pas. Par crainte de découvrir des choses que je préfère ignorer. Mes appréhensions ne reposent sur aucun indice, mais elles sont là. J'ai donc continué mon parcours en taxi en chantonnant tout le long du trajet pour éviter de converser avec le chauffeur, lequel avait amorcé ce qu'il souhaitait un dialogue sur le thème : « Les États-Unis, bourreau universel. »

En ouvrant la porte de la maison, j'ai entendu des gémissements assez puissants dont l'intensité risquait de faire vibrer les murs. Je suis montée dans ma chambre sur la pointe des pieds pour constater que les secousses sonores émanaient de la chambre de ma fille. Ébranlée, je me suis enfermée en attendant que ça cesse. Hélas, aucun manuel n'apprend aux mères à gérer les transports orgasmiques de leurs enfants. Seul effet bénéfique, ça m'a dégrisée net. Constatant que l'épisode s'éternisait, je me suis réfugiée dans la salle de bain où j'ai ouvert le robinet de la baignoire afin que le bruit de l'eau masque celui de la chair de ma chair qui abusait de la sienne avec un idiot, apparemment moins distrait que je ne l'avais imaginé. Je me suis assise par terre, et j'ai pleuré à chaudes larmes dans les poils du bébé chat, installé dans mon cou et qui ronronnait en me tétant les cheveux. Puis j'ai décidé de me plonger dans le bain chaud. En fermant la robinetterie, j'ai constaté que les lamentations avaient fait place à des rires étouffés. La chaleur et l'alcool expliquent sans doute que je me sois dangereusement assoupie et ce sont les coups répétés sur la porte qui m'ont tirée de la torpeur. J'ai crié : « Je suis là. » « Maman, j'ai entendu miauler », a dit Maud. J'ai failli répondre : « Moi aussi j'ai entendu. » Elle était déjà dans la salle de bain avant même que je l'y invite et poussait des cris de joie en découvrant Valentin. J'ai eu le temps de capter son regard scrutateur un tantinet dédaigneux, l'air de dire « ça commence à se flétrir » avant d'enfiler mon peignoir et l'ai rejointe sur mon lit où, langoureusement, elle se roulait en tenant le chat à bout de bras et en lui parlant avec les mêmes mots doux, je le supposais, qu'elle avait prononcés dans les bras de son balèze lubrique. « Tu es seule ? » ai-je demandé, hypocrite. « Non, Victor est dans ma chambre, il étudie. » « Victor ! Il me semble qu'il se prénommait Stéphane. » « Oh, je lui ai dit d'aller se faire voir ailleurs, celui-là. Il n'avait aucune initiative ; il attendait tout le temps que je décide pour lui. » « Et le nouveau ? » « Ça fait des mois qu'on se croise. Là, on a décidé d'apprendre à se connaître. On n'est pas pressés. » Il m'a fallu un effort surhumain pour me taire. Quand je pense que, dans le passé, j'ai donné des leçons aux amis tolérants qui accueillaient les amants de leurs enfants sous leur toit.

Les rapports de ma belle-mère avec ses enfants restent un mystère pour moi. Elle a toujours traité Georges, même si elle a été très fière de lui et de son ambition quand il travaillait d'arrache-pied à découvrir un médicament contre l'arthrite, comme un enfant distrait. Depuis qu'il m'a quittée, elle continue de le voir, mais je sais que, malgré l'amour qu'elle lui porte, elle le juge sévèrement. La preuve en est que les relations, entre elle et moi, sont devenues plus étroites. Je doute que, dans la même situation, je suivrais son exemple. Je serais plutôt une inconditionnelle de mes enfants contre leurs conjoints bien qu'avec Maud ça me demanderait un effort. Ma belle-mère n'en fait aucun avec ses deux filles Estelle et Luce. Alors qu'elle me manifeste chaleur et affection, elle ne fait référence à ces dernières qu'avec agacement ou ironie. Je les ai peu fréquentées en dehors des réunions familiales obligatoires et nous n'avons jamais eu d'atomes crochus, j'ignore donc l'objet de leur contentieux. Mais j'imagine avec un plaisir malicieux la stupéfaction lorsque leur octogénaire de mère leur annoncera sa décision de se mettre en ménage. Elles ne songeront qu'à la dilapidation de l'héritage, c'est classique.

J'ai convoqué Maud à mon bureau, ç
la conversation, pour la mettre en garde
emballements sexuels successifs car j'en ai
casque d'assister muette à cette parade
ronés. Plus discret, Albert partage son t
la maison et celle des parents de l'actuelle.
nouvelle cuvée, semble avoir découvert
un domicile fixe. Ça fait une semaine
heurte à lui chaque matin. Je suis en train
allergique car, en plus, il me la joue trio

J'ai eu tort de me radoucir. Il me fau
le contrôle de la maison. Mon devoir de
que je ne laisse pas croire à Maud, par m
que je cautionne sa vie de trousseur de
Je n'ose faire le calcul des garçons qui ont
dans sa courte vie. Ça m'affole, pour tout
fois, ses cris perçants ont produit sur m
trochoc salutaire. Je dois lui faire comp
le malaise qui m'habite n'est qu'un signa
pour la protéger. Le tour de force sera d
mon agressivité car ma fille pratique l'art
disjoncter. Si j'avais gardé l'habitude de
l'attendant je réciterais un *Je vous salue, M*
l'Acte de contrition serait plus approprié
cas.

J'aime ma fille, autrement je l'aura
D'abord, elle est arrivée avec trois quarts

etard en disant : « Je te mentirais si je disais que j'ai
ne bonne raison. J'ai oublié de regarder ma montre.
C'est tout. » J'ai encaissé. Puis elle s'est mise à dis-
ourir sur le bien-fondé de l'avoir convoquée au
ureau. « Tu peux me parler quand tu le souhaites
la maison. Si tu t'en prives, tant pis. » Je me suis
etenue en m'accrochant aux bras de mon fauteuil.
lle a enchaîné pour se plaindre de l'habitude
le son frère d'entrer dans sa chambre à son insu.
Il m'emprunte des livres sans permission. Qui me
rouve qu'il ne pique pas autre chose ? » Je la regar-
lais s'enflammer et je me suis rendu compte qu'elle
ccupait le champ de l'espace verbal pour parler
omme les universitaires abscons, trahissant ainsi
a nervosité. Ça prouvait mon ascendant sur elle
t, du coup, ça m'a calmée. J'ai dit : « Écoute, Maud,
'aurais préféré ne pas avoir cette conversation avec
oi. » Pour éviter que je poursuive, car son énerve-
nent était maintenant évident, elle a attaqué : « Je
ne comprends pas ta mise en scène, parce que c'en
st une. Depuis quand m'inscris-tu parmi tes rendez-
vous dans ton bureau ? Je ne suis pas un client. »
Maud, du calme », ai-je dit en haussant le ton. Elle
renchéri : « Tout baigne dans l'huile. Ça marche
lans mes études, j'suis pas droguée, j'suis pas gay,
lors c'est quoi ton problème, maman ? » Elle m'épa-
ait. La colère lui nouait les tripes, elle détestait abso-

lument ce tête-à-tête, elle me détestait par la même occasion mais elle fonçait droit devant. Je me suis levée et me suis avancée vers elle. « Maud, tu es ma seule fille. Permets-moi de te donner un conseil. Tu es trop précieuse à mes yeux pour te disperser avec des garçons qui n'en valent pas la peine. » « Tu me fais la morale, maintenant ? » a-t-elle lancé, les yeux noirs de rage mais les mains tremblantes. « Tu sais bien que non. Je constate que toutes tes histoires ne semblent pas te rendre si heureuse que ça. Ce que tu cherchez au juste, le sais-tu toi-même ? » Naïvement, je croyais être en train de gagner la partie. Je pensais qu'elle s'apprêtait à remettre en question certains de ses comportements. Elle avait simplement pris le temps de refaire le plein de sa rage. « Comment veux-tu que je connaisse une ombre de bonheur avec une mère qui jalouse ma jeunesse, qui jalouse mon intelligence, qui jalousait la relation que j'avais avec papa quand j'étais petite ? Tu m'envies d'avoir tant de garçons autour de moi, parce que, toi, t'as eu que mon père qui a fini par se tanner de toi et tu te retrouves maintenant avec un type qui ne dit pas un mot. Comment veux-tu que je sois heureuse alors que la terre entière sait que tu préfères Albert et que, si tu prétends me gâter, c'est simplement parce que t'es pas assez futée pour imaginer que je sais que t'as pas le choix et que tu passerais pour une mauvaise mère si tu me privais de ce que tu donnes avant tout à Albert ? » Puis se levant d'un bond, impressionnée de sa propre performance, l'air de dire « je te rabats le caquet, hein, ma vieille », elle est sortie en évitant, contrôle suprême, de claquer la porte. Je me suis écrasée dans mon fauteuil, étourdie par cette scène théâtrale, fière d'elle curieusement mais aussi infiniment triste. Surtout triste. Mais ça n'a pas duré longtemps. La colère est réapparue. J'ai bu une gorgée d'eau et j'ai fermé les yeux. Plusieurs minutes ont passé, puis j'ai laissé un message sur le portable de Rachid pour m'inviter à dormir chez lui. Demain samedi, aura-t-il le culot de disparaître à son habitude en me laissant en plan ? La colère produit de curieux effets. Elle donne envie de s'attaquer à tout le monde, même à ceux qu'on chérit.

« Tu as l'air contrariée », c'est la première phrase qu'a prononcée Rachid lorsque je suis arrivée à son appartement. « Ça se voit tant que cela ? » ai-je dit. La curiosité qu'il marquait était teintée d'une vague inquiétude. Je me suis trouvée moche mais j'ai entretenu son doute durant de longues minutes en parlant de choses et d'autres. Je savais qu'il n'allait pas insister et je ne résistais pas à me jouer de lui. La remarque de Maud m'avait piquée. Pourquoi se taisait-il lorsque je l'irritais, pourquoi ne me contredisait-il pas, pourquoi ces soupirs qui perduraient avec régularité depuis le début de notre relation ? Des soupirs sans objet. Et que dire de ces évaporations du samedi, plus récentes certes mais peut-être plus préoccupantes, et dont j'avais cru jusqu'à aujourd'hui qu'elles m'indifféraient ? Sa discrétion que j'avais tant appréciée dans le passé me devenait suspecte tout à coup. Rachid semblait attentif à mon monologue et plus je causais, plus je souhaitais qu'il me fasse taire, qu'il m'oblige plutôt à lui confier ce que je taisais. Pourquoi, mon Dieu, ne se fâchait-il pas ? Pourquoi ne gueulait-il jamais ?

Il s'est alors passé une chose curieuse. Pendant que je me débattais avec mes sombres pensées, tout en ayant l'air de converser normalement, Rachid s'est rapproché de moi, m'a obligée à fixer son regard en emprisonnant ma figure dans ses mains et il a simplement dit : « Continue de parler, ça m'excite. » Avant que j'aie repris contenance, une heure s'était écoulée.

Conclusion : je contrôle tout sauf l'imprévisible.

5

Louise a organisé une soirée entre filles. J'ai demandé : « Pourquoi sans hommes ? » et elle a répondu qu'elle et moi ne devions pas oublier notre statut de privilégiées sentimentales alors que Rachel et Hélène en étaient actuellement privées. « Assister à des dîners mixtes pour des célibataires malgré elles, c'est pas de la tarte. Parfois, je te trouve égoïste, Jeanne. » « Je ne vais tout de même pas partager Rachid », me suis-je exclamée. « Non, mais évite de trop pavoiser. Des femmes attirantes, intelligentes et disponibles, y en a à tous les coins de rue. Méfie-toi de ton assurance. » J'ai failli dire « L'amitié t'étouffe », mais je lui ai plutôt fait remarquer que, puisqu'elle les considérait comme si malheureuses, elle pouvait jouer à l'entremetteuse comme dans le bon vieux temps. « Je ne crois plus aux amours arrangées », a-t-elle répliqué. J'ai pensé : « Toi ma fille, le métier de rabatteuse, tu l'exerçais pour ton propre

compte alors qu'on te croyait si altruiste. Maintenant que tu t'es momentanément casée, tes amies
esseulées, tu t'en fiches. » J'ai plutôt dit : « C'est
frappant de voir comme t'as changé. » « Merci pour
le compliment », a-t-elle répondu. Louise possède le
talent d'interpréter en sa faveur tout ce qu'on lui
dit. Je l'envie.

Je ne suis pas dupe de l'éloge bruyant du célibat
que ne cesse de faire Rachel. Sur son indépendance
proclamée, sa liberté exemplaire, son travail d'avo-
cate irremplaçable, je la laisse dire. Et j'admire sa
fuite en avant dans une vie quotidienne organisée
sans aucun temps mort. Ses fins de semaine et ses
soirées sont planifiées pour des mois et sa maison
est devenue un lieu de transfert de valises. Elle
semble de passage partout. Même avec nous, on la
sent ailleurs. Se remettra-t-elle jamais de ce mariage
avorté qu'elle avait mis en scène sans imaginer que
son partenaire se rebifferait ? Qu'elle s'étourdisse, ça
n'est pas moi qui la blâmerai. Dans le cas d'Hélène,
trente-neuf ans, à l'horloge biologique en voie de
détraquement, j'avoue ma perplexité. Son apparente
hauteur de vue sur les abandons successifs de ses
réfugiés cache des blessures sans aucun doute mais
elle joue l'impénétrable. Je m'incline devant la retenue qu'elle s'impose pour ne pas nous déranger avec
ses histoires. Ça nous change de la mouvance fémi-

nine braillarde. Depuis peu, elle jongle avec l'idée de s'acheter un chien. « Quand on met la clé dans la porte, retrouver une présence surtout l'hiver, quand le froid nous enlève l'envie de ressortir, ça n'est pas négligeable », m'a-t-elle dit récemment.

J'ai plus de mal qu'auparavant à assister au dépeçage, joyeux mais dépeçage tout de même, de nos chers mâles, au cours de ces dîners auxquels nul homme ne pourrait survivre sans en garder des séquelles permanentes. Désormais, je me sens traîtresse à l'égard de Rachid en y participant. Le malheur étant plus partagé que le bonheur, ce sont les écorchées qui donnent le ton et je ne résiste pas à ajouter mes propres blagues aux propos vitrioliques de mes amies. La vieille rancune contre Georges n'est pas éteinte. On a l'esprit de vengeance tenace à l'âge où le corps annonce des ratés. Et la dérision est un jeu aussi injuste que grisant.

Pour notre soirée, Louise a réquisitionné Satsuo en cuisine afin de préparer les sushis. Arrivée chez elle la première, je me suis offerte à faire le service. « Pas question. Satsuo va nous servir. Je vais simplement prévenir les autres de parler vite pour lui éviter de comprendre ce qu'on dira. Ça risque de le choquer. » Louise a des culots qui me scandalisent. Elle m'a tourné le dos et a crié : « Satsuo, mon chat, tu viens m'aider ? » Empressé et souriant, l'amant japonais s'est approché de Louise qui l'a regardé avec plus de concupiscence que d'attendrissement. Comme si je n'existais pas, le couple s'est affairé autour de la table en y disposant des pierres plates dans un désordre dont la signification m'échappait totalement. J'ai eu envie de quitter les tourtereaux mais la sonnerie de la porte a retenti.

J'ai détesté chaque minute de la soirée. D'abord Hélène n'a ouvert la bouche que pour engloutir les échantillons de poissons crus que Satsuo déposait devant elle en hochant la tête pendant que Louise et Rachel échangeaient des adresses de cartomanciennes et de boutiques d'équipement de plongée sous-marine, sport qu'elles comptent pratiquer l'hiver prochain au large du Honduras. Puis Louise a longuement tenté de la convaincre de suivre les cours de la cérémonie du thé offerts par le Jardin botanique. Excédée, j'ai demandé : « Les Japonais juifs boivent-ils du thé cachère ? » Et les trois m'ont regardée comme si j'avais crié « Heil Hitler ». Pour la première fois de ma vie, je ne supportais plus mes amies. Alors, je me suis levée en disant : « La tête me tourne, il vaut mieux que je parte. » Louise a répliqué : « Essaie pas de mettre ça sur le compte des hormones. C'est nous qui avons l'air de t'emmerder. » Rachel, réflexe oblige, a voulu plaider ma cause : « She seems upset, I noticed it when

I came in. » Hélène, sortant de sa goinfrerie silencieuse, a ajouté : « Il s'est produit un incident avec
Rachid ? » Dans certaines circonstances, il m'arrive
d'avoir la conscience aiguë que je m'apprête à commettre l'irréparable, en dépit de quoi je fonce droit
dans le mur. C'est, hélas, ce qui s'est passé. Je me
suis levée, je les ai dévisagées l'une après l'autre et
j'ai dit d'une voix contenue : « Je vous trouve pitoya-
bles, décervelées et d'un ennui mortel. » Malheureusement, en me dirigeant vers la sortie j'ai heurté
Satsuo qui avait dans les mains un plateau couvert
de brochettes qui se sont répandues sur le tapis couleur sable que Louise avait acheté à prix d'or. Elle a
poussé un oh de quasi-douleur mais je ne me suis
pas retournée. Une fois dans le couloir, avant qu'elle
ne referme la porte je l'ai entendue dire aux autres :
« Depuis un certain temps, elle pète les plombs de
plus en plus souvent. Pauvre Rachid... » Une fois
dans l'ascenseur, plutôt que d'appuyer sur le bouton
du rez-de-chaussée, j'ai pressé sur celui de l'étage de
Rachid. La vie amoureuse sans surprise manque de
zeste et j'avais besoin de l'étonner.

En mettant la clé dans la serrure, j'ai entendu ses
pas et, avant que le loquet ne se déclenche, Rachid
ouvrait la porte. Le col de chemise ouvert, pas son
genre, il garde habituellement sa cravate nouée
jusqu'au moment de se mettre au lit, j'avais face à

moi un homme pris en flagrant délit. J'ai dit « Je te dérange » et j'ai amorcé un recul. Ma tension artérielle montait. Mais encore sous le choc de ma sortie de chez Louise, la rage est revenue. Ça m'a empêchée de m'évanouir. Rachid s'était saisi de mon bras pour m'empêcher de ressortir. Très calme, un vrai acteur ai-je pensé, il a murmuré : « Je t'en prie, entre. Je suis en compagnie d'une consœur de passage qui travaille à John Hopkins. » J'aurais juré qu'il gagnait du temps pour permettre à cette femme de retrouver une contenance ou de rattacher son soutien-gorge. Je me suis laissée littéralement tirer vers le grand salon. Bien sûr, j'aurais pu résister, tourner les talons et m'enfuir mais une curiosité plus forte encore que la colère m'attirait vers la pièce où l'éclairage, me semble-t-il, avait été tamisé. Elle était debout et j'ai imaginé qu'elle achevait de défroisser son corsage, une espèce de boléro rose cendré. « Je te présente le Dr. Lola Fouad, qui est une consœur et aussi une compatriote. » L'Égyptienne, grande, svelte, était moins belle qu'intense et cette intensité, palpable, achevait de m'accabler. Rachid a demandé : « Je te sers un cognac ? » Sa remarque le trahissait. Il était perturbé, pour sûr. Et elle, la doctoresse de passage, me la jouait détendue. Lui avait-il parlé de moi ? A la manière dont elle me regardait, j'en doutais. J'ai dit à Rachid « non merci » sans ajouter « m'as-tu déjà vue un cognac à la main ? ». Mon arrivée tardive, clé en main, indiquait en tout cas mon statut de maîtresse officielle, stupide et naïve. La Fouad s'est rassise sans manifester la moindre gêne, tout en continuant de me regarder. « Si vous le permettez, je souhaiterais vivement terminer la conversation un peu technique que nous avions, Rachid et moi, avant votre arrivée. Vous nous excusez. » Comme une dinde, j'ai marmonné quelque chose du genre « faites comme si je n'étais pas là », et je me suis plongée dans une revue qui traînait sur la table, le magazine de voyages que je m'étais procuré car nous projetions de courtes vacances dans une île des Caraïbes. Je regardais les photos de ces lieux romantiques et je souffrais mille morts, convaincue depuis cinq bonnes minutes que ma vie venait de s'effondrer. Les deux médecins échangeaient des informations où il était question de migraine ophtalmique mais le jargon qu'ils utilisaient m'échappait totalement. Dans un sursaut d'humour désespéré, j'ai pensé qu'avant mon arrivée ils échangeaient plutôt des connaissances gynécologiques. Mais la dérision a fait place à l'abattement avant que leur échange de vues se termine. Alors, la Cléopâtre s'est tournée vers moi pour s'enquérir de ce que je faisais dans la vie. Mais avant que je puisse ouvrir la bouche, Rachid vantait mes mérites sur le ton et avec les mots qu'on emploie lors du discours aussi flatteur qu'hypocrite qu'on sert à l'employé qu'on a incité à quitter l'entreprise. Apparemment indifférente, malgré une politesse feinte, au portrait tracé par Rachid, la doctoresse s'est levée et m'a dit tout naturellement : « Je réside chez des amis qui habitent Côte-des-Neiges. Serait-ce dans votre direction par hasard ? » Sans hésiter, j'ai répondu : « Tout à fait », et Rachid est resté muet. J'étais en présence d'une salope et d'un lâche, doublé d'un fourbe.

J'ai déposé ma cliente (ne m'avait-elle pas utilisée comme taxi) devant un cottage anonyme, j'ai attendu qu'elle ait pénétré dans le portique avant de démarrer et je suis entrée chez moi, à demi zombie. Pendant que je me démaquillais, le téléphone de ma chambre a sonné. J'ai débranché et fermé le portable. Exceptionnellement, j'ai avalé un somnifère pour traverser la nuit dans un sommeil ouaté. Rachid me trompait. Un homme ne reçoit pas de collègues féminins, fussent-elles de passage, sans en informer la femme qu'il aime. Les péchés de l'esprit sont aussi graves que ceux de la chair, ai-je appris dans ma jeunesse catholique. Conclusion : tromper n'est pas nécessairement coucher. Pendant que je brassais ces idées noires, le sommeil chimique a eu raison de moi.

J'ai rouvert les yeux à l'aube et les ai refermés

sur-le-champ. Je refusais de revivre les émotions de
la veille. Seule consolation : ayant toujours négligé
de donner une clé de ma maison à Rachid, il ne
pouvait forcer ma porte. De toutes les façons, ça
n'était pas son genre. Le reste était un naufrage. Je
partais à Toronto en fin de matinée et j'avais prévu
de revenir le soir même. J'allais changer mes plans.
Vieux réflexe du temps de ma séparation d'avec
Georges, j'allais m'isoler, hors d'atteinte, en m'api-
toyant sur mon sort. Pour y parvenir, il fallait étouf-
fer la part de moi qui tentait de me persuader que
j'étais victime de mon imagination, que rien n'avait
existé hier soir entre eux. Je créais de toutes pièces
un drame pour justifier les doutes et les préventions
que j'éprouvais à l'endroit de Rachid, le trop parfait.
J'avais raison d'avoir résisté à la tentation de croire
à l'amour éternel en m'installant en ménage avec lui.

Depuis notre dernière scène, Maud ne remettait
plus les pieds à la maison qu'en mon absence. C'est
Albert qui m'informe de ses humeurs. « Quelle tra-
gédie s'abat sur cette maison ? » a-t-il demandé en
m'apercevant au sortir de ma chambre. « Maud est
en fuite et, depuis sept heures ce matin, Rachid
n'arrête pas de téléphoner. Madame la marquise a
décroché sa ligne privée, si je comprends bien. »
Comme toujours dans les moments où il devine une

tension, Albert devient grandiloquent. Je n'ai pas tenté d'explication car, à son âge, l'on se fiche éperdument des états d'âme de ses parents tant que ça ne vient pas perturber sa vie sacrée d'adolescent aussi égocentrique qu'attachant. J'ai dit : « Toi ça va, mon amour ? » Il a répondu : « Je nage dans l'euphorie perpétuelle. » J'ai su que lui aussi avait des problèmes et que ceux de sa sœur et les miens représentaient le dernier de ses soucis. « Au fait, ai-je ajouté, je couche à Toronto ce soir. » « Tu me demandes la permission ? » Il s'est approché de moi. « Je te la donne à condition que tu sois sage », et il m'a embrassé la tempe gauche. Les larmes me sont montées aux yeux. Heureusement, il s'était envolé.

Avant de monter dans l'avion, j'ai failli téléphoner à Rachid. L'appel du vol m'a sauvée. Je me répétais de façon incantatoire : t'es nulle, ressaisis-toi. Cet homme se joue de toi, comment pourrait-il échapper à la loi de son sexe qui le programme pour être un prédateur ? Avant que je quitte la maison, Albert m'avait répété que Rachid avait sans arrêt cherché à me joindre. Qu'est-ce que ça prouvait sinon qu'il étouffait sous la culpabilité ? Non, je devais en finir de la romance avec le beau docteur. Quitte à me violenter, à me jeter dans les bras du premier venu, ce soir, par exemple, au bar de l'hôtel. Romps, me disais-je. Oui, romps. Qu'il en bave à son tour. Un

orage s'étant levé quelques minutes après le décol-
lage, l'appareil tanguait à cause de la turbulence.
Toute à mes pensées, je me fichais d'être ballottée
même si le pilote venait de nous informer de rester
assis, bien bouclés, pendant les prochaines dix
minutes. J'ai jeté un coup d'œil autour de moi, les
passagers, hommes d'affaires pour la plupart, facilement identifiables à leur costume, gris anthracite,
semblaient concentrés dans la lecture du *Financial
Post*. J'ai fermé les yeux et attendu, sans anxiété, que
les secousses qui transformaient l'appareil en fétu de
paille et atteignaient une intensité semblable à celles
qui m'habitaient finissent par diminuer. A l'atterris-
sage, mes propres tumultes ne m'avaient pas donné
de répit. Je ne connaissais qu'une solution : plonger
dans le travail. Ce soir, j'aviserais.

La discussion de la matinée avait été fructueuse
en dépit des réticences systématiques d'un grand
type, au physique impressionnant, que je voyais pour
la première fois et dont j'ignorais le rôle exact qu'il
jouait, soi-disant un allié de l'agence avec laquelle
nous préparions une campagne de prévention contre
un moustique importé du Népal et qui sévissait dans
nos forêts en s'attaquant aux oiseaux migrateurs. Le
gouvernement avait décidé de cette offensive à quelques mois des élections, étant entendu que l'opinion

publique aime l'idée qu'on la protège des mouches illégalement entrées sur le territoire et qui risquent de contaminer la faune, une de nos glorieuses richesses naturelles. L'homme me tapait sur les nerfs et, dès que je levais le regard, il était en train de m'observer. A l'heure de la pause pour le déjeuner, j'avais décidé qu'il me servirait de proie. Il me vengerait de Rachid. Pour la première fois de ma vie, je me comporterais moi aussi en prédatrice. « Mon chéri, tiens bien ta tuque », me suis-je dit en acceptant la place qu'il m'indiquait à table à ses côtés.

6

Ni charmant ni particulièrement intéressant, l'homme dégageait une assurance qu'on avait envie de briser. Et il avait ce don, car c'en est un, de déshabiller une femme du regard, ce qui de nos jours se pratique peu dans nos contrées dominées par la rectitude féministe. Son accent trahissait une origine australienne qui ajoutait un brin d'exotisme à mes visées peu reluisantes. Avant la fin du déjeuner, nous avions convenu de nous revoir pour prendre un verre, après la réunion dont on prévoyait qu'elle se terminerait autour de dix-huit heures. Au cours de l'après-midi, ses objections à mes propositions s'étaient à peu près évanouies. Il arrive que les jeux de séduction dans le travail produisent des résultats plus que positifs.

Dès la levée de la séance, je me suis éclipsée. Je n'avais jamais pratiqué ce genre de drague mais je me disais que ma disparition momentanée le titillerait et ferait monter les enchères. L'envie d'appeler Rachid avait disparu pour faire place à une excitation dont j'étais peu fière mais qui me procurait une forte sensation. C'était donc cela, la chasse à l'homme. En entrant dans ma chambre, croisant mon regard dans la glace, j'ai su que j'avais toutes les chances de commettre le péché de la chair, obsession de ma jeunesse catholique. J'ai pris un bain, je me suis maquillée avec un soin que je ne mets plus avec Rachid et je me suis changée deux fois avant de me décider entre le pantalon ou la jupe pour laquelle j'ai finalement tranché. Mes jambes ont toujours suscité des compliments, même de la part des femmes.

« You're lovely », a-t-il dit en me voyant. Mais je n'étais pas dupe, c'est ce qui ajoutait au plaisir de jouer la coquette, car des lovely, il avait dû en accumuler entre Toronto, Sydney, Vancouver et Yellowknife. La conversation fut lente à démarrer, en fait elle en est restée au démarrage jusqu'à ce qu'il propose d'aller dîner, les hommes ayant toujours de l'appétit avant de nous dévorer. Nous sommes entrés dans le steak-house attenant à l'hôtel, plus pratique, ai-je pensé, pour remonter rapidement dans la chambre, et je l'ai soupçonné de croire que l'affaire, en l'occurrence moi, était dans le sac. Ça m'a fouettée. Pour être à la hauteur de mon rôle de tombeuse d'hommes, j'ai aussi décrété que j'avais une faim de loup et j'ai dit « I am famished », lui indiquant que la langue anglaise n'avait pas de secrets pour moi. J'ai eu raison, il était ravi. « You really speak the Queen's english. » Nous avons ensuite discuté sur la qualité du bœuf canadien, quasi épargné par la maladie de la vache folle, après avoir commandé deux T-bones d'une livre et demie. Le vin aidant, la conversation s'est améliorée si l'on peut qualifier d' « amélioration » le fait que Russell me prenne la main et me répète à quel point j'étais *tré bell*. Sans me demander mon avis, il a réclamé une seconde bouteille et j'en ai conclu que, tout dragueur qu'il fût, l'alcool lui était nécessaire pour passer à l'attaque. Car, évidemment, Monsieur Bushman se croyait maître de la situation. Je l'ai laissé verser le vin dans mon verre qu'il a rempli à ras bord, trahissant ainsi son impatience à me voir me liquéfier pour lui. Je n'y ai que trempé les lèvres et, tout concentré qu'il était à boire et à me complimenter de façon de plus en plus précise, il avait commencé par vanter mes yeux mais les siens descendaient sur mon anatomie à la vitesse des verres qu'il ingurgitait, il ne se rendait pas compte que j'étais le metteur en scène des préliminaires. Je lui avais abandonné la main mais il ne s'en contentait plus. Il exigea les deux puis il allongea le bras vers mon cou qu'il confondit avec mes seins.

Pour être franche, il me faut admettre que l'excitation gagnait du terrain sur ma résistance. L'homme était beau, propre, bien rasé, tel qu'on les représente dans les pubs d'after-shave. L'image de Rachid m'effleura l'esprit mais je m'empressai de la chasser, telle une mauvaise pensée. Combien de temps pourrais-je continuer de le garder à table ? Craignant que l'ivresse ne provoque chez lui la somnolence, je décidai de lui proposer un retour dans le bar où, une fois rendue, j'aviserais. L'idée de me mettre au lit avec un membre du Commonwealth britannique, je ne l'écartais plus. Je devais cependant évaluer si la rancune que j'éprouvais pour Rachid était plus forte que ma réticence à subir les assauts de Russell, lesquels devaient avoir la configuration de la géographie australienne.

Dans le bar, je me suis mise à douter de mes capacités de tombeuse d'hommes. Russell, visiblement éméché, devenait plus actif dans son approche. Je le repoussai d'abord en souriant, puis je ne l'ai plus trouvé drôle. Son insistance, doublée d'un vocabulaire fort explicite, a achevé de me convaincre de me soustraire, et vite, à cette situation devenue grotesque. C'était compter sans Russell qui, une fois de retour dans l'hôtel, me prit le bras avec fermeté en disant : « Let's go to your room. » J'ai répondu : « I am really sorry but I can't. » Il m'a regardée, ahuri, puis il s'est mis à pleurer. Nous étions devant les ascenseurs. Je me suis engouffrée dans la cabine avec lui avant que des clients apparaissent. J'ai demandé : « What's your floor ? » Il a répondu « All » en continuant à verser des torrents de larmes. J'ai dit en français : « Toi, tu me joues la comédie. » Il a dit : « In english, please. » J'avais pesé sur le bouton de mon étage. Russell ravalait ses larmes et geignait comme un enfant après un gros chagrin. J'avais tout imaginé sauf cette scène burlesque.

Une fois devant la porte de ma chambre, j'ai craqué et je me suis entendue dire : « Vous voulez peut-être poursuivre la conversation ? » Il a répondu : « You're so kind. » Il m'a pris la carte magnétique des mains et l'a glissée dans la serrure. J'en ai déduit que cet homme accablé de chagrin ne perdait pas le nord et ça m'a instantanément inquiétée. L'espace d'un éclair, j'ai pensé qu'il pouvait s'agir de la stratégie d'un maniaque qui allait me violer dare-dare. Demain matin je me retrouverais en manchette des tabloïds de la ville. Belle publicité. Mais Russell s'est dirigé vers un fauteuil loin du lit et s'est écrasé dedans comme s'il venait de courir le marathon. J'ai rapproché une chaise, je me suis assise à mon tour et j'ai attendu qu'il parle. « Je suis confus, a-t-il répété trois ou quatre fois. Je vous dois une explication. » Puis il a recommencé à sangloter en me racontant qu'il avait perdu sa sœur préférée quelques semaines auparavant, que je lui ressemblais étrangement et qu'en me voyant ce matin il en avait été complètement troublé. J'ai pensé : « Incest is the best. » Ou cet homme était fourbe et j'étais en danger, ou j'avais affaire à un hurluberlu, auquel cas ma vertu était sauve et, dans cinq minutes, je mettais Russell dehors et m'empresserais de prendre les messages qu'indiquait le clignotant du combiné en espérant que ce soit ceux de Rachid.

A partir de là, tout s'est déroulé très vite. J'ai pris la main de Russell pour la tapoter comme on fait avec les enfants qui ont besoin d'être consolés. Il a ravalé ses pleurs, m'a souri en rapprochant son beau visage parfumé aux agrumes du mien qui dégageait la tubéreuse, j'ai poussé un soupir incontrôlé qu'il a interprété comme un laissez-passer et j'ai coulé à pic quand sa langue chaude, douce et insistante, a fourragé dans ma bouche. Lorsqu'il m'a entraînée au lit, j'ai pris conscience que j'étais nue. Il m'avait déshabillée à mon insu. J'ai replongé dans mon désir et, lorsque enfin j'ai émergé, le cadran digital indiquait trois heures vingt-deux minutes. Tout était doux, humide, collant et l'odeur marine de l'amour alourdissait l'air ambiant. Vers six heures, sans pleurs ni regret mais non sans tendresse, Russell quittait ma chambre et, je le savais, ma vie. Jamais je ne connaîtrais la vérité. La dragueuse d'un soir que j'étais avait sans doute été séduite selon une technique inspirée à la fois des kangourous et des alligators de mer. Je n'avais aucune envie de revoir Russell, ne fût-ce que pour en avoir le cœur net. Infidèle, non sans culpabilité, je me suis dévisagée dans le miroir. Mes yeux brillaient.

En descendant de l'avion, j'ai ouvert le portable. Il m'indiquait huit messages de Rachid. Avant de les écouter, j'ai composé son numéro. Sans même dire « allô », il a demandé : « Est-ce que ça va, Jeanne ? » sur un ton impossible à décoder. J'osais à peine parler. Alors j'ai dit, tarte que je suis : « T'es content d'entendre ma voix ? » Tous mes doutes à son sujet s'étaient évanouis. Et, pire, je tremblais maintenant de ce qu'il allait me dire. Oh, si Claire ne voyait pas la vie à travers un filtre si sombre, si Louise reprenait ses esprits en se « dézennisant », si Rachel n'entretenait pas de sentiments si hostiles à l'endroit de la vie de couple, je pourrais les consulter. Mais je n'avais plus confiance dans le jugement de mes amies à propos de l'avenir possible avec un homme. Ne restait qu'Hélène. Elle appréciait Rachid, avait joué un rôle clé dans notre rencontre et nos relations amicales s'étaient développées en intensité et en intimité. La différence d'âge entre nous ne comptait guère et j'avais tendance à lui accorder moins d'importance qu'auparavant. La douzaine d'années qui nous séparaient devenait secondaire car, par son expérience des hommes, Hélène était plusieurs fois mon aînée. Rachid me proposait de dîner au restaurant fétiche du début de notre amour, indice favorable, voilà pourquoi, sitôt terminé l'appel avec lui, je composai le numéro d'Hélène. Il fallait de toute urgence que je lui parle, à elle la spécialiste des étrangers venus du tiers-monde.

Elle m'a regardée, les baguettes en l'air, nous étions dans un restaurant chinois, et s'est exclamée : « Jeanne, as-tu reçu un coup sur la tête récemment ? » J'ai répondu : « Pas à ma connaissance. » « Je suis stupéfaite », a-t-elle répliqué. Tout en lui racontant la soirée, je me rendais compte que quelque chose clochait en moi. J'avais introduit du drame dans une situation, somme toute banale. L'homme de ma vie vivait seul, était libre de recevoir des gens sans mon assentiment, il exerçait donc cette prérogative. Quant à la Lola en question, elle n'avait jamais dégrafé son corsage ni joué à l'allumeuse, ce que j'avais fait misérablement la veille pour punir Rachid d'un crime qu'il n'avait pas commis.

Mon récit à Hélène n'incluait pas la fin de la soirée. Je m'étais arrêtée au long french kiss en prétextant avoir repoussé Russell en dehors de la chambre après ce doux assaut. L'épisode horizontal appartenait à mon jardin secret, si peu garni jusqu'à ce jour. Et j'étais surprise du peu de honte que j'éprouvais. Si les voies du Seigneur étaient impénétrables, celles menant à Rachid l'étaient tout autant. Même sous la menace, je ne consentirais jamais à avouer cette faiblesse. Je vivais comme une fatalité que le désir ait imposé sa vérité. Pour tout dire, la jouissance verrouillait ma conscience.

L'après-midi même, Maud se présenta inopinément à mon bureau. « Il faut que je te parle, c'est urgent », a-t-elle dit en m'attrapant au vol alors que j'entrais en réunion. « Je ne peux pas maintenant », ai-je répondu. « Dans ce cas, je vais attendre. » A son air préoccupé, elle n'allait pas m'annoncer une joyeuse nouvelle. Henri, qui me connaît comme s'il m'avait tricotée, déployait tous ses charmes, et Dieu sait qu'ils sont redoutables, pour convaincre les représentants d'un groupe alimentaire majeur de nous confier leur publicité, ce qui ferait vivre notre commerce durant les quelques années à venir. Conscient de ma difficulté à me concentrer, il évitait de me renvoyer la balle comme on savait si bien le faire lorsqu'il s'agissait de vendre notre compétence. « Comment voyez-vous les choses ? » s'est enquis un des types qui s'étonnait certainement de mon mutisme. C'est fou comme j'arrive la plupart du temps à me fouetter les sangs quand il s'agit de convaincre. J'ai donc joué celle qui avait volontairement refusé d'intervenir depuis le début, j'ai complimenté l'audace avec laquelle ces messieurs envisageaient le rôle de la publicité, la flatterie menant toujours quelque part, et après avoir jeté un bref coup d'œil à Henri qui retrouvait son sourire j'ai déclaré : « Messieurs, voici votre slogan : MAGASINER CHEZ ABC, C'EST SE RESPECTER. » Ils m'ont regardée, surpris, dubitatifs, se sont consultés du regard, le plus costaud a esquissé un sourire, l'autre s'est ajusté à sa réaction et le costaud a décrété : « On vous fait confiance. C'est super. Ça fait référence à la Charte des droits, le monde va triper. » Henri s'est raclé la gorge, signe convenu entre nous pour exprimer le contentement et mettre un terme à une réunion avant que les participants ne changent d'idée. Ces messieurs ont signé le protocole d'entente, un engagement qui leur coûte une tonne de billets verts s'ils se désistent, et l'on s'est donné chaleureusement la main. Dans ma distraction, j'ai serré la main d'Henri. On a tous éclaté de rire.

Une fois face à Maud, j'ai déchanté. « J'avais oublié ce à quoi tu ressembles », ai-je lancé d'entrée de jeu, faisant référence à sa disparition volontaire. Elle m'a interrompue sur-le-champ. « Y a pas de quoi faire de l'humour, maman. Je suis en retard dans mes règles. » « Quoi ! » Je n'en croyais pas mes oreilles. Ma fille enceinte ! Ma fille qui prenait la pilule depuis au moins deux ans. « Eh bien, justement, j'ai arrêté il y a six mois. J'ai lu une enquête suédoise sur la pilule et ça m'a convaincue. Ce qui me déboussole, c'est que j'ai jamais pris de risque. Mes copains mettent toujours des condoms. Ça se peut qu'un des condoms se soit percé ? Qu'est-ce que t'en penses ? » J'avais devant moi une petite fille de dix ans, tentant de me convaincre que ça n'était pas de sa faute. Elle se croyait enceinte, n'avait fait aucun test, et des retards de règles, elle en avait déjà avant de prendre la pilule. « Passe d'abord le test », lui ai-je enjoint. « J'ai trop peur que ça soit positif », m'a-t-elle répondu. J'étais estomaquée. « Tu es folle ou quoi ? » ai-je ajouté, le regrettant immédiatement. Elle s'était mise à pleurer comme une Madeleine. « Et je ne sais même pas qui est le père. » J'ai encaissé le coup et me suis fait violence pour rester calme et neutre. « Mon amour, tu n'es pas enceinte, tu t'énerves pour rien. » Je la tenais dans mes bras et retrouvais subitement ses odeurs de fillette. Son tempérament reprenant le dessus, elle s'est alors mise à hurler en s'arrachant à mon étreinte : « C'est moi qui le sais. Je le sens. Et puis les seins me font mal. » « Ce sont les mêmes symptômes lorsqu'on est en retard », ai-je répondu avec le plus de douceur possible. « T'es trop vieille, tu ne te souviens plus de ces choses-là. » A travers cette scène surréaliste, j'ai encore encaissé. L'agressivité à mon endroit est son moteur, inutile de l'enrayer. « Je vais aller avec toi à la pharmacie, et on va acheter le test. Mais je suis sans inquiétude, tu n'es pas enceinte. » C'était une quasi-certitude chez moi. Maud s'était créé un drame afin de revenir à la maison sans que je puisse lui reprocher son engueulade et la fugue qui s'ensuivit. Vive la maternité ! Et le bouquet, mais cela elle l'ignorait, et l'eût-elle su qu'elle en aurait tiré une satisfaction, elle m'obligeait à retarder le tête-à-tête avec Rachid que j'appréhendais tant.

Une fois le test acheté, Maud refusa de s'y soumettre. Je me suis donc retrouvée dans la salle de bain, lui tenant la main pendant qu'elle urinait, moi sans vraiment d'inquiétude et elle rongée d'angoisse. Une minute plus tard la barre négative, rose de surcroît, est apparue. « Je te l'avais bien dit », ai-je déclaré en l'enlaçant. « Je n'en dormais plus, tu sais. Mes amies pensaient comme toi que c'était impossible. Des fois, j'en arrive à croire que j'aurais besoin de thérapie. » Elle baissait la garde, c'était rare et j'en profitai : « C'est peut-être une bonne idée. » Quelle naïveté ! « C'est ça, a-t-elle lancé, retrouvant sa combativité. Tu penses que je suis folle. » Et elle s'est envolée comme elle était apparue. J'ai regardé ma montre, j'avais une heure de retard, mais au moins une entrée en matière qui me permettrait de voir venir.

J'ai composé le numéro de Rachid, impossible à joindre sur son portable. Il me rendait la monnaie de ma pièce, je l'aurais juré. Perplexe, j'hésitais entre me rendre au restaurant ou à son appartement. J'optai pour la première solution. Bonne intuition. En entrant, je l'ai aperçu mais, sans lunettes, j'étais incapable de lire sur son visage dans quel état d'esprit il se trouvait. Je me suis précipitée vers lui. Il s'était levé en me voyant. Avant d'oser un seul geste, je me suis confondue en excuses, racontant de façon incohérente l'épisode Maud. Retard de règles, test négatif rose, père potentiel inconnu, grossesse nerveuse, je déballais tout dans le désordre. J'avais perdu pied, incapable de me ressaisir, mais une partie de moi, comme cela arrive souvent en de telles occasions, devenait spectatrice de mon propre dérapage d'hallucinée. Rachid, stoïque, attendait que ça se dégonfle. Subitement, je n'ai plus rien trouvé à ajouter. Je l'ai regardé. Il demeurait silencieux. Face à son silence, intolérable comme une brûlure, j'ai osé un : « Tu ne m'embrasses pas ? » Il a répondu : « Si on commandait d'abord, tu n'as pas faim, toi ? » J'ai rétorqué pour ne pas lui déplaire : « Oh, bien sûr, très faim. » Il a fait signe au serveur et, sans me demander mon avis, il a choisi une multitude d'entrées : poivrons, pleurotes, pieuvres marinées, salade grecque, fleurs de courgettes, aubergines et fromages grillés. Ma foi, nous étions là pour la nuit, et son appétit était celui d'un ogre. Il a reculé sa chaise comme pour marquer une distance entre nous et j'ai décidé de mettre mes lunettes pour tenter de déchiffrer sur ses traits une quelconque émotion qui le trahirait. Un court instant, sa beauté, une beauté changeante, inégale mais à ce moment-là si virile, m'a décontenancée. Impuissante, j'attendais qu'il se manifeste par un geste, un sourire, un froncement de sourcils. Rien. Puis j'ai entendu : « Très chère Jeanne, tu me dois une explication. » J'ai pris une grande respiration, telle que me l'avait enseignée mon entraîneur avant de m'obliger à un effort exceptionnel.

7

Échec lamentable de ma tentative d'explication. J'ai commencé à discourir en périphérie pour utiliser le charabia de la sociologie qui ne m'a formée, hélas, qu'intellectuellement. Comment décrire à Rachid ma perception distordue du tête-à-tête avec sa collègue et néanmoins compatriote, la docteur Lola Fouad, ophtalmologiste de l'illustrissime John Hopkins Medical School de Baltimore ou Philadelphie, peu importe. Je m'enfonçais dans des analyses abyssales où je mettais en lumière ma difficulté de croire à la vérité des sentiments (pénible), ma nature effarouchée (crétin), ma fragilité paradoxale (complaisant), mon ambivalence cyclique (faux : permanente). Je me débattais sans réussir à reprendre pied, sans me convaincre moi-même, et plus je tentais de mettre en mots ce que j'avais vécu durant ce court moment dans l'appartement, plus mon ineptie me sautait à la figure. Conséquence, une montée vertigineuse de ma tension artérielle. Rachid, lui, calme à me faire grimper l'Everest en courant, mangeait avec application les plats pour six personnes déposés sur la table.

Et Russell dans tout cela, Russell, instrument de mon ressentiment, Russell dont l'odeur d'agrumes remontait en moi, comble de l'indécence, je le taisais et le tairais jusque dans ma tombe. Pourquoi le corps de cet homme me rendait-il celui de Rachid plus présent, plus désirable et plus précieux ? Si ce dernier savait qu'un autre lui pavait la voie, il me tuerait. J'aimais le croire. Mais il l'ignorerait et me quitterait tout de même. Tu délires, ma vieille, me suis-je dit, sachant que le délire exprimait aussi l'enflure du réel. Pendant ces longues minutes, mon docteur dévorait sa pieuvre. J'étais en perdition.

Puis son portable a sonné. Il a regardé l'afficheur et m'a dit : « Excuse-moi, je suis de garde. » Il s'est levé et s'est dirigé vers la sortie tout en parlant dans le combiné. Mon estime de soi était totalement à plat. Je me sentais aussi démunie que prisonnière. Si cette pause téléphonique était la bienvenue, j'aurais payé à prix d'or le devin ou la devine qui eût pu me prédire la fin de ce chemin de croix dînatoire où, contrairement au Christ, je tombais à chaque station. Soudain, Rachid a surgi derrière ma chaise – je ne l'avais pas vu revenir – et, en me frôlant, j'ai cru deviner une légère, très légère pression de sa main sur mon épaule. Ça m'a redonné un léger, très léger espoir. Une fois assis, il a recommencé à piger dans les plats alors que, stupidement, je reprenais la parole. Tais-toi, lamentable, laisse-le dire un mot. Je me sermonnais mais l'idée d'entendre ce qu'il dirait me paralysait. Sans doute, la seule faute de Rachid a été d'abuser de son silence. Il me restait donc un sursaut, de quoi, j'en étais incertaine. Probablement un mélange d'orgueil, de méfiance et de culpabilité. Je me suis entendue dire à Rachid, comme en écho : « J'ai droit à des explications, moi aussi. L'autre soir, quand je suis arrivée à l'improviste, je me suis sentie une intruse. Et tu n'as rien fait pour m'en dissuader. » Il a cessé de picorer dans les plats car il ne mangeait plus que par ennui. « Enfin, je peux placer un mot, a-t-il déclaré en préambule. Je ne préjuge de rien, mais me tromperais-je si j'estimais que pour la première fois depuis que nous sommes ensemble (ah ! il ne disait pas amoureux, ça augurait mal), tu m'as fait une scène de jalousie ? » Jalousie ! J'ai bondi. « Moi, jalouse, mais mon cher Rachid, tu te leurres. C'est un sentiment parfaitement étranger à ma nature. » J'en remettais à cause de l'épisode Russell qui me restait en travers de la gorge. Il m'observait de façon clinique, sans sourire et avec beaucoup d'intérêt. Et soudain, il a avancé la main. J'ai sursauté. « Ah non, c'est trop facile », ai-je lancé et je me suis composé l'air le plus renfrogné que je connaisse. Il s'est alors emparé de ma main et j'ai capté sur son visage une émotion que je connaissais trop bien : je l'excitais. Ma bouderie devenait une arme érotique ! « Jeanne, écoute-moi. » Il allait devenir paternaliste. « Ta fuite de vingt-quatre heures, c'est de l'enfantillage. Je me suis inquiété et ma journée de travail en a été perturbée. Il ne faudrait pas recommencer ce petit jeu trop souvent. Nous n'avons plus l'âge de ce genre de scènes. » Il a allongé le bras vers mon cou pour me caresser. Le même geste que le kangourou la veille. Par quelle mystérieuse chimie, ai-je pensé, ce même geste déclenche-t-il selon la personne des émotions absolument opposées ? Émue, j'ai fermé les yeux et entendu Rachid murmurer des mots qui ont effacé jusqu'à la mémoire de ce qui s'était déroulé à Toronto, des mots qui m'obligeaient à me lever pour le suivre sans condition. Dans l'auto, à chaque feu rouge il s'est livré à des caresses pour lesquelles j'aurais renié tout ce que j'aimais. Une fois dans l'appartement, j'ai crié grâce en atteignant l'alléluia de la jouissance dont il est tant question dans les textes sublimes de sainte Thérèse d'Avila. Il n'a pas obéi et a récidivé. Vers deux heures du matin, j'ai failli réciter le *Confiteor* pour me faire pardonner mon infidélité. Mais la purification par le sexe valait bien celle par le feu. Sans le savoir, Rachid m'absolvait et, à l'idée de le perdre, je tremblais. Ce fut ma dernière pensée avant de m'endormir, le corps enroulé autour du sien.

Coup de téléphone de Maud au bureau. Extrêmement urgent, selon la secrétaire. Bon, encore un drame, me suis-je dit. J'ai pris l'appel. A l'autre bout du fil, Maud criait. Mon cœur a fait un tour complet. J'ai crié à mon tour : « Qu'est-ce qui se passe ? Parle ! » Elle hurlait de plus belle mais, là, je me suis rendu compte que c'était de joie : « J'ai mes règles, maman. Ça a commencé il y a une demi-heure. » Je l'ai félicitée comme si elle m'apportait un beau bulletin. On a les agréments qu'on peut avec des filles de vingt ans. « Tu m'as rassurée hier, a-t-elle ajouté, toujours dans l'allégresse, crois-tu que ça a pu les déclencher ? C'est ce que prétend Victor, dont la mère est psychanalyste. » Victor, qui n'était pas dans le paysage au moment de la supposée conception, l'avait donc conseillée et réconfortée pendant le drame. Vive le féminisme qui a transformé les garçons en soutien, non plus financier, mais psychologique. A mon époque, les pères potentiels s'évaporaient quand les filles se croyaient enceintes et les abandonnaient à leur sort si, d'aventure, il leur fallait avorter. Maud, à son habitude, n'allait pas se réjouir sans bénéfices marginaux. « On pourrait fêter ça au restaurant, maman. Es-tu libre à midi ? » Je ne l'étais pas mais j'ai dit : « Oui, je vais m'arranger. » Elle a raccroché non sans avoir choisi un des endroits les plus chers en ville. Il me semble que me décerner un certificat de bonne conduite maternelle ne serait pas exagéré. Durant notre tête-à-tête, ma fille, sans cesser de se plaindre des crampes qui lui déchiraient le bas-ventre, m'a complimentée sur ma nouvelle coupe de cheveux qui ne l'est guère mais Maud, cette fois, le remarquait. Je ne l'ai pas contredite, j'en ai simplement déduit que depuis longtemps, en me regardant, elle ne me voyait plus. Elle m'a aussi demandé si je m'étais fait injecter du botox dans le front car, a-t-elle dit, « c'est incroyable comme t'es pas ridée. On te donnerait cinq ans de moins ». Cinq ans c'est pas terrible mais, connaissant ma fille, elle devait penser « dix ans ». Elle s'est aussi pâmée sur mon chemisier Miyake acheté sous la pression de Louise. « Ça t'illumine le teint et te donne un look jeune. » Elle charriait mais, comme pour un forfait, je prenais tout, consciente de vivre un moment rare dont j'aurais été bien embêtée de prévoir la pro-chaine séance. En se séparant après qu'elle m'eut embrassée avec chaleur, j'éprouvais une joie insolite. Me connaissant, il valait mieux en profiter avant que la tordue ne s'éveille en moi et trouve matière à s'inquiéter.

Depuis quinze jours déjà, ma belle-mère manifestait le désir de me présenter son amoureux. Rachid n'y voit aucun inconvénient bien qu'il estime étrange de fréquenter la mère de Georges. « Autre pays, autres mœurs », lui ai-je rappelé. Il s'adapte peu à peu à l'ouverture d'esprit qui nous caractérise, contrepartie de l'étouffement social et moralisateur qui nous a tant marqués jusqu'à notre réveil collectif, il y a quarante ans. Bref, comme quiconque débarqué chez nous sans se réclamer du fondamentalisme religieux, Rachid a appris à lâcher du lest face aux conventions coulées dans le béton. La notion de plaisir, si cher à Sigmund, on l'a transformée localement en objectif national et nous sommes sur le point de changer notre devise « Je me souviens » par « Je prends mon pied ». Ma belle-mère, aisément reconvertie à cette valeur hédoniste, preuve ambulante de la théorie de l'évolution, nous attend chez elle pour l'apéritif. « Un repas serait trop stressant, m'a-t-elle dit. Pas pour moi, chère, pour mon copain. » Voilà qu'elle utilise même le vocabulaire des jeunes. Ça a été plus fort que moi, j'ai réagi : « Vous parlez comme Maud et ses amis. Soyez raisonnable, Monsieur Tranchemontagne n'est pas votre copain. » « Amoureux, mon amoureux, si vous préférez. Mais à mon âge, on ne sait plus comment les désigner. Preuve supplémentaire qu'on devrait s'en passer. » « Vous n'allez pas vous culpabiliser de nouveau. » Elle s'est arrêtée comme frappée par cette vérité. « Mon Dieu, que vous avez raison. C'est mon amant, je l'admets, mais je ne suis pas obligée de le crier sur les toits. Eh bien, que pensez-vous de ceci ? Pour les étrangers, Hector (pas de Tranchemontagne, Seigneur, c'est trop lourd à porter), Hector, donc, sera un ami. Pour mes proches un "amoureux" et, entre nous deux, mon "amant". » « Et pourquoi pas votre mari, éventuellement ? » Je blaguais. « Pour ne pas faire mourir mes enfants. Vous verrez plus tard. On arrive à un âge où, lorsqu'ils nous visitent, on a l'extrême déplaisir de découvrir que nos enfants adorés se comportent comme des antiquaires. Ils évaluent et choisissent les objets qui les tentent et dont ils hériteront, espèrent-ils. Ils nous dépouillent avant que l'on soit nous-mêmes des dépouilles. C'est pas gai. » Je me suis retenue de lui avouer que Maud, sa petite-fille précoce, réagissait comme son père et ses tantes. A quatre-vingts ans, il me faudra peut-être changer de serrure chaque semaine pour éviter des effractions à mon domicile, Dieu et Rachid me gardent de devenir aveugle. Maud serait capable de me faire signer une procuration à vie en sa faveur.

Son Hector m'est apparu un homme taciturne mais il voue une admiration inconditionnelle à ma belle-mère, laquelle se transforme en séductrice enjouée pour attirer son attention. Et ça marche à tous les coups. Rachid, peu disert, mais comparé à Hector c'est un bavard, a aussi succombé aux charmes de belle-maman. Nous étions, en fait, dans l'admiration mutuelle, et la complicité réciproque explique que l'apéro prévu se soit prolongé en dîner. Sous l'effet des bulles grisantes, Hector a laissé tomber la veste et retrouvé la parole et Rachid, amusé par la vivacité de belle-maman, semblait touché de l'affection qui nous lie. Quant à moi, des allers-retours vers la cuisine me permettaient d'échanger avec elle comme on le fait entre filles à l'adolescence. « Comment le trouvez-vous ? Il est beau, n'est-ce pas ? » J'ai répondu : « Exceptionnel comme personnalité et il mérite son surnom d'Apollon. » Elle jubilait et, n'eût été son arthrite dans le genou gauche, elle aurait trépigné de joie. « Georges est mon fils et je l'aime, je devrais donc me retenir de vous dire que le docteur Tamzali est terriblement séduisant. Je vous comprends, Jeanne. Mais je le répète, c'est en un sens déplacé pour moi de parler de la sorte. » Je l'ai rassurée : « Vous avez toujours été une bonne mère. » « J'ai fait mon devoir, chère. Mais je connais les défauts de mes enfants, comme je n'ignorais pas ceux de mon mari. D'ailleurs, il m'est arrivé d'être tentée de le quitter. Mais à mon époque, c'était impensable. Votre génération est née au bon moment. »

Rachid et Hector faisaient la paire. Ils sont allés ensemble acheter des mets chinois que nous avons mangés dans la vaisselle de Limoges et ça m'a frôlé l'esprit qu'un jour, le plus tard possible, Georges et son Annette mangeraient dans ces mêmes assiettes. J'ai vite chassé cette sombre réflexion. Ma belle-mère se révélait à moi car je n'avais jamais eu l'occasion de me rendre compte de ses talents de charmeuse d'hommes. Je n'osais l'imaginer dans l'intimité. La pudeur me retenait. Avec nos proches, il existe des barrières qu'on ne franchit pas même en pensée. Enfin, lorsque nous nous sommes séparés, en fin de soirée, encore sous l'effet grisant des bouteilles de rosé, nous avions le sentiment tous les quatre d'avoir fixé un moment magique. « Et si c'était cela l'éternité ? » ai-je demandé à Rachid. Ça l'a fait sourire.

J'avais prévu de retourner dormir à la maison, les jumeaux et leur bande nécessitant une supervision occasionnelle et surtout imprévisible, mais Rachid a posé la main sur mes reins et il m'était inutile d'acheter un billet de Loto pour comprendre que je pouvais décrocher le gros lot. Je gardais chez lui quelques vêtements et des pots de crème que je m'étais appliquée à ranger bien en vue sur les étagères de la salle de bain, façon d'assurer mes arrières. Ce soir-là, j'ai remarqué que les produits de maquillage avaient été déplacés. Je n'allais pas recommencer mes suspicions. Mais incapable de me contrôler, j'ai demandé sur le ton le plus neutre (croyais-je) : « La femme de ménage est venue ? » Rachid m'a rejointe, il m'a entouré les épaules de ses bras et a éclaté de rire. « Elle est venue cet après-midi. Je suppose que la vilaine a déplacé tes produits miracles. » « Je ne comprends pas ce qui te fait rire », ai-je dit, en jouant l'innocente. « Viens au lit pour le savoir », a-t-il répondu. J'ai obéi. Plus tard, avant de sombrer dans le sommeil, j'ai eu la certitude d'avoir vécu une journée heureuse.

Rachel est rentrée de son spa plus mal en point qu'à son départ. Elle s'est retrouvée seule à Bismarck dans le Dakota du Nord, de quoi angoisser le Dalaï-Lama en personne. Pourquoi Bismarck plutôt qu'ailleurs ? lui ai-je demandé. En fait, Rachel a la fâcheuse habitude de lire des magazines américains pour happy few et de croire dur comme fer à leurs suggestions de lieux à fréquenter, de vêtements, de vins et de voitures à acheter. Un peu comme si elle lisait la torah. A vrai dire, elle est moins critique envers ces magazines que de sa Bible cachère dont elle met en doute certains textes qu'elle décrypte à travers la grille féministe. Donc, elle ne tarissait pas d'éloges pour le spa en question, coté cinq étoiles, qui coûte la peau des fesses, est fréquenté par un mélange de stars de cinéma en quête perpétuelle de jouvence, de P-DG de grandes entreprises dont les émoluments faramineux font l'objet de scandales financiers et de représentants d'une aristocratie européenne aussi oisive qu'oiseuse. Rachel adore ce compagnonnage occasionnel qui lui fait prendre conscience, si besoin était, de sa vertigineuse ascension sociale, elle qui a passé son enfance au-dessus du petit commerce de laine et d'aiguilles à tricoter de sa mère devenue veuve à vingt-huit ans. Rachel se venge aujourd'hui de ses robes de petite fille tricotées main qui faisaient rire les enfants en n'achetant que des vêtements griffés, en hantant les palaces et en vivant dans une maison inspirée d'*Architecture Digest*. « Quand j'ouvre les yeux en me réveillant, je me dis : It's not a dream. You made it », m'a-t-elle avoué un soir de confidence.

Or, au téléphone, cet après-midi, et ce n'est pas dans son habitude de téléphoner pendant les heures de bureau, elle avait une petite voix. « I feel terrible », a-t-elle dit. Ça m'a inquiétée et j'ai suggéré qu'on se voie ce soir. Rachid comprendra et se rendra seul au concert. Elle a hésité. Apparemment elle avait un engagement. J'ai décrété : « You have no choice, you're my friend, I love you and you need me. » O.K., a-t-elle répondu. Comment vivre dans la béatitude quand ceux qu'on aime sont malheureux ?

8

Quelle idée de s'être réfugiée dans un lieu où le silence, brisé par le bruit sec des mains du masseur sur la peau huilée, nous hante alors qu'étendue sur une table semblable à celles utilisées à la morgue, on nous condamne à l'immobilité, le corps enduit de glaise puante, enrobée dans un linceul de plastique ? Quel masochisme de subir toute nue devant un mur de tuiles blanches le jet d'eau glacée et pinçant qu'un sadique s'applique à diriger aux endroits les plus sensibles, là où se concentre la cellulite ! Pourquoi s'imposer durant des heures cette musique électronique obsédante à faire réagir un comateux, faite de piaillements d'oisillons, de vagues en reflux et de sons sidéraux ? Quelle désolation de se retrouver seule en peignoir blanc à manger des repas santé pour lapins albinos et à boire des litres d'H_2O incolore, inodore et sans saveur que la vessie rejette plusieurs fois par jour, si bien qu'on passe la moitié du temps aux toilettes en se traînant les pieds dans des pantoufles en ratine one size et que l'on croise des clients aussi ralentis que soi dont plusieurs, adeptes de ces lieux, se comportent comme des membres d'une secte à laquelle ils considèrent, à l'évidence, que nous appartenons ? « Soyez heureux et bonne détente », dit l'une. « Je vous souhaite un bon massage », murmure le masseur avant de vous triturer. Ma description a bien fait rire Rachel, c'était mon but, mais j'ai découvert, lors de notre rencontre, qu'elle ne riait plus depuis longtemps.

Rachel est la dernière personne que j'aurais imaginée sous antidépresseurs. Depuis des mois, m'a-t-elle appris, elle n'arrive à fonctionner que grâce à ces maudits comprimés. Je dis « maudits », c'est plus fort que moi, car les pilules me ramènent à ma mère. Celle-ci les avalait comme des bonbons, qui l'ont rendue peu à peu l'ombre d'elle-même. Enfants, mon frère et moi vivions en quelque sorte avec le corps de notre mère. Il nous arrivait de la toucher, parfois de la caresser, nous effleurions sa joue mais nous n'étions pas dupes. Notre vraie mère, pas celle que l'on voyait, celle que l'on aimait, nous l'avions perdue et nous ignorions le lieu de son refuge. Notre père nous assurait qu'elle nous aimait, qu'elle pensait à nous, même si elle s'adressait à nous comme à des étrangers. Elle me vouvoyait et s'informait auprès de mon frère à propos de son fils. Quand elle reprenait ses esprits, notre père nous expliquait que sa médication était bien dosée. Je ne savais pas exactement ce qu'il entendait par là mais parfois, en cachette, j'allais fouiller dans le tiroir de sa table de chevet et je fixais les fioles dans le but de comprendre comment des petits morceaux colorés, rectangulaires, ronds ou ovales, pouvaient transfigurer ma mère à certains moments et me l'enlever à d'autres. J'avais peur de ces pilules, en même temps elles me fascinaient. Un jour, j'en ai pris une verte, j'aimais le vert, petite, et je l'ai léchée délicatement. L'instant suivant je me suis sentie tout étourdie, et cela a duré toute la journée. Je m'étais crue plus proche de ma mère mais la sensation bizarre des choses flottant autour de moi m'a empêchée de récidiver. Encore aujourd'hui, la vue de comprimés sur les étagères des pharmacies me dérange. C'est dire à quel point l'engouement de mon ex pour les gélules, les vitamines et autres graines concentrées a contribué à m'affoler dans les derniers mois de notre vie commune.

« Es-tu certaine d'avoir besoin de cette béquille chimique, toi si énergique et si active ? » ai-je demandé à Rachel. Je l'encourageais sans y croire tant sa vie depuis sa rupture avec David était désaccordée. « Sans somnifère, il m'est impossible de dormir et sans antidépresseur, je serais incapable de travailler. I am absolutely devastated. And it's hard for me to admit it. » A y réfléchir, son excentricité, sa possessivité m'étaient apparues de plus en plus inquiétantes depuis longtemps déjà. Sa manière de vouloir tout diriger, de gérer chaque nouvelle relation en despote amoureux, jusqu'à se précipiter dans une boutique pour acheter à David une chemise de rechange au prétexte d'une tache minuscule sur le col en plein milieu d'un repas au restaurant et l'obliger ensuite à l'enfiler aux toilettes. Son désir fou de se remarier avec un homme qu'elle voulait transformer à son image, convertir à sa religion et selon ses rêves de petite fille dans l'attente d'un prince cachère et charmant m'avait secouée. On est admiratif et heureux des délires joyeux de ses amis jusqu'au jour où l'on se rend compte qu'ils ont basculé, happés par leur propre angoisse, dans une zone sismique où on ne peut plus les suivre. Voilà ce que j'observais chez Rachel. Jamais je n'aurais cru que cette rupture puisse la démolir à ce point. « C'est plus fort que moi, je le vis comme une condamnation à mort. La nuit, couchée dans mon lit, je m'imagine, vieillissante, seule à la maison, seule en voyage, seule pour aller à l'hôpital si je suis malade, seule au restaurant, sans plus jamais faire l'amour ni sentir la peau d'un homme contre la mienne. Voir des couples enlacés dans la rue me rend malade. It kills me, do you understand that ? » Elle parlait sans pleurer, trop accablée, trop triste, trop découragée. Et moi, j'étais impuissante à lui exprimer la moindre compassion, j'étais atterrée, elle m'enfermait involontairement dans sa détresse. Tous ces discours sur notre merveilleuse liberté, que nous tenions au cours de rencontres échevelées et arrosées (l'égalité dans l'ivrognerie, ça se revendique aussi), ces proclamations d'indépendance affective que l'on brandissait dès lors que l'une d'entre nous se comportait en femme soumise, ces déclarations à l'emporte-pièce sur la joie de ne pas avoir à rendre de comptes à un mâle, la dérision avec laquelle on épinglait par des phrases décapantes les amoureux transis et le jugement définitif que l'on portait sur les pauvres couples arriérés parce qu'encore ensemble, tout cela s'effondrait comme un château de cartes. « Ne t'inquiète pas, m'a-t-elle dit devant ma mine défaite, je vais rebondir. » Je la reconnaissais bien là. C'est elle qui avait besoin d'être épaulée et c'est moi qu'elle consolait. « Pour ne rien te cacher, mon fils a rompu le contact avec moi depuis six mois. Il ne veut plus me parler. Il prétend que je lui en ai fait trop baver quand il était petit. Il dit qu'entendre ma voix le fait régresser. » Son fils, Morris, qui vit aux États-Unis, a beau avoir trente-deux ans, avoir été financé par sa mère qui s'est saignée pour lui afin de l'envoyer dans des collèges huppés et hors de prix, voilà qu'il ne trouve rien d'autre que de lui reprocher ce qu'il appelle sa vie tapageuse. J'aurais une envie folle de lui téléphoner pour l'engueuler. La dernière fois que je l'ai croisé chez sa mère, il se plaignait du recul de l'anglais à Montréal, sa ville natale qu'il ne reconnaissait plus, disait-il avec des trémolos dans la voix...

Rachel l'avait rudoyé alors que Louise voulait le reconduire manu militari à l'aéroport vers les States. L'existence de Morris prouve que des mères formidables peuvent mettre au monde des enfants qui se crétinisent en vieillissant. Morris, ce petit con pédant qui prétend brasser des affaires mirobolantes entre Santa Fe et L.A. et qui recevait, j'imagine, il n'y a pas encore si longtemps, des avances mensuelles de la banque maternelle. Je sais que l'amitié comporte des règles et des contraintes dont la plus fondamentale est de ne jamais porter de jugement sur les enfants de nos amies. Sur les maris ou les amants, passe encore, mais sur la progéniture l'on s'engage à ses risques et périls. Je suppose que c'est ce qu'on appelle la hiérarchie des valeurs.

J'ai quand même réussi à sceller une entente avec Rachel. Elle peut me joindre sur mon portable jour et nuit. Et nous avons projeté un week-end à New York toutes les deux. Rachid comprendra. Je ne me fais aucune illusion sur la gravité du mal qui la ronge. Et c'est une mince consolation pour elle de fréquenter en tant que spécialiste du divorce des gens plongés dans le drame des ruptures amoureuses. Quel demeuré a décrété que « le malheur des uns fait le bonheur des autres » ?

J'aimerais être douée pour jouer les entremetteuses, bien que je doute de l'efficacité de ces méthodes. Avec la révolution des mœurs en marche, l'on assistera probablement bientôt, après les rencontres sur Internet, à des livraisons à domicile de prétendants. « Bonjour, je suis votre futur. X. a décrété que nous sommes faits pour nous entendre pour le meilleur et pour le pire. » Le système entraînera-t-il des résultats plus catastrophiques que ceux qu'on connaît ? C'est à voir.

J'ai croisé Claire dans le cabinet de Louise. Elle avait sur le dos un tailleur qui date de la guerre des Malouines et ça n'est certainement pas en l'honneur de Madame Thatcher. « C'est joli ce que tu portes », ai-je dit, pour tester sa réponse. « Oh, c'est un vieux truc que j'ai trouvé au fond de ma garde-robe. Je n'ai pas le temps de courir les magasins, ces temps-ci. » J'aurais dû demander pourquoi mais j'ai manqué de courage. Le même qui m'empêche de lui faire signe. Claire n'est pas dupe. Elle n'a pas dit : « Appelle-moi pour qu'on se voie. » Elle m'a parlé de son problème de gencives qui la fait souffrir et pour lequel elle entreprend une série de traitements chirurgicaux. J'écoutais distraitement, incapable d'admettre qu'elle se laisse aller à ce point. Visiblement, elle a délaissé le coiffeur, ses cheveux ternes et sans épaisseur sont coupés à la va-vite et ses ongles sont cassés ou rongés. Quant au maquillage, elle y a renoncé. On pourrait même affirmer que Claire est devenue un produit naturel, sans colorant, sans additif. Je l'ai informée en retour de mes propres problèmes dentaires, ça meuble la conversation. J'ai donc longuement, moi aussi, parlé du traitement que je subissais et de la complication que cela entraîne, due à une allergie à l'anesthésie. Elle était fascinée, comme si je lui confiais un secret à la fois original et unique. L'assistante dentaire a mis un terme à mon explication en annonçant que le docteur était prêt à la recevoir. Elle a semblé si sincèrement déçue que j'en ai conclu deux choses. Premièrement, je possédais l'art de raconter avec suspense. Deuxièmement, elle est encore plus gravement perturbée que son physique délabré ne le laisse deviner. Au nom de l'assistance à amie en danger, j'allais donc me secouer, voire me faire violence, et lui donner rendez-vous. Ce qui fut fait une heure plus tard alors que nous nous sommes croisées, moi la bouche gelée et elle la joue enflée comme celle d'un boxeur, en sortant des salles de torture. J'ai marmonné : « Je t'appelle » et elle a acquiescé, l'air de dire « puisqu'il le faut ».

Que reste-t-il de mes amies ? ai-je fredonné ensuite. Rachel et Claire sur le carreau, Louise en état second avec Satsuo, mais je ne miserais pas un sushi sur l'avenir de leur couple, et je m'attends désormais à ce que cette dernière lui indique prochainement la route du soleil couchant, Hélène en galère depuis peu avec un Indien Micmac, une vraie nouveauté qui annonce peut-être une rupture avec le tiers-monde et un premier pas vers ses compatriotes sous la figure de ce descendant direct des premières nations autochtones. Ma foi, ne restent comme modèles de couple que Georges et son A. (pour Annette ou accouchée), belle-maman et son Hector, Rachid et moi.

Expérience extrême – on dit bien sport extrême –, j'ai passé deux heures chez Claire à écouter son récit chirurgico-buccal, à sembler me passionner pour son nouveau dada, les orchidacées, dont elle m'a appris, quel choc, qu'elles appartenaient à la famille des plantes phanérogames angiospermes (non, dans son état je n'ai pas relevé la chose) à pétales inégaux, à poursuivre notre conversation interrompue sur mes propres embêtements dentaires et à subir l'écoute de musique concrète qu'elle a découverte grâce à un patient musicien qui ne jure que par la disharmonie sonore. Je me suis demandé comment une psychiatre qui se laissait influencer de la sorte par ses patients pouvait leur être de quelque secours. Je souhaite qu'elle ne décide pas de se mettre à l'escalade à cause d'un grimpeur névrosé qui la consulte ou, pire, qu'elle saute en parachute sous l'emprise d'un quadragénaire plus maniaco que dépressif qui lui communiquerait, sans s'en rendre compte, son goût du vide. Pas un instant elle ne s'est informée de Louise ou de Rachel ou de Rachid. Pas une référence à John, l'éternel amant dont l'épouse a de nouveau menacé de se suicider, je l'ai appris par Louise qui n'a pas coupé les ponts avec Claire puisque, en tant que dentiste, elle passe des heures à lui explorer la bouche. J'ai bien essayé de faire bifurquer la conversation sur un mode plus intime. J'ai laissé tomber des phrases du genre : « On ne peut pas pavoiser tous les jours à notre âge. » Niet. J'ai renchéri un peu plus tard : « Il m'arrive d'être si mal dosée avec les hormones que j'éprouve des angoisses soudaines qui m'épuisent. Ça t'arrive, à toi ? » Je n'ai pas eu plus de chance. Elle a simplement répondu : « Je n'en prends plus, à quoi bon ? », et elle a enchaîné sur les orchidées. J'ai prétexté un rendez-vous médical – Dieu sait pourquoi – et j'ai eu droit à la phrase définitive : « A notre âge, c'est inévitable. Les visites chez le médecin deviennent de plus en plus fréquentes. » Je l'ai embrassée, pour me rendre compte que le savon la déserte. Une fois dans la rue, j'ai éprouvé une émotion semblable à celle que l'on ressent après avoir évité un accident. Décidément, certaines personnes se laissent pousser vers la sortie. Dans le cas de Claire, une seule question me trouble : pourquoi cette obsession sur sa dentition alors qu'elle laisse son corps en jachère ?

Rare. Georges m'invite à déjeuner. Encore une fois, et ce malgré les années depuis notre séparation, la fébrilité s'est emparée de moi. Ça m'enrage et je m'en veux. J'ai bien essayé de savoir quelle est la raison de son invitation transmise sur un ton que je connais trop bien, la gentillesse quémandeuse, dont j'ai déjà été victime. Si cela concerne les enfants, pourquoi manger ensemble ? Tout se règle par téléphone. D'autant que, du côté des jumeaux, il n'y a rien à signaler. Les deux étudient, sont entièrement à ma charge et ne se comportent pas comme des dysfonctionnels, pour utiliser le charabia du ministère de l'Éducation. Alors que me veut-il ? Trois jours à attendre avant le rendez-vous. Peut-être devrais-je augmenter ma dose d'hypotenseur.

9

Rachid a mis un terme à ses disparitions sabba-
tiques et je me couperai la langue plutôt que lui
demander à quelles activités illégales ou secrètes il
consacrait ses samedis.

Depuis Toronto, je dors six nuits sur sept avec
lui, surtout chez lui. La présence des jumeaux et de
leurs copains le dérange. Jamais il n'en parle mais
l'autre soir, alors que la porte d'entrée claquait toutes
les cinq minutes, il a comparé les lieux à un cara-
vansérail. De plus, j'ai découvert que le bruit exté-
rieur freine Rachid dans ses élans. J'en subis les
contrecoups, forcément. Faire l'amour, la main de
l'homme sur la bouche, l'on ne voit pas cela que
dans les scènes de viol au cinéma. Je le vis dans ma
chambre à coucher les soirs où la troupe des jeunes
affranchis, mais néanmoins casaniers, défile au pas
de course entre le sous-sol et le deuxième étage. J'en
suis à réévaluer mes doutes ontologiques sur les bien-

faits de la famille reconstituée. De fait, je crains que, dans l'esprit de Rachid, vivre ensemble signifierait sans les jumeaux. Nous n'abordons jamais le sujet, mais je devine qu'il n'imagine pas jouer le beau-père en bout de table qui découpe la côte de bœuf le dimanche soir.

Maud s'est amadouée depuis sa crise d'hystérie et nous avons eu une longue et quasi agréable conversation hier. Je n'ai pas pu résister et l'ai mise au courant de la rencontre prévue avec son père. « Pourquoi crois-tu qu'il veut me voir ? Ton frère et toi êtes en bons termes avec lui ? » ai-je demandé. « Bien sûr, m'a-t-elle répondu. Veux-tu que j'essaie de lui tirer les vers du nez ? A moi, il raconte tout. On s'entend à merveille. Mon Dieu, maman, qu'il a changé. » J'ai encaissé. Je n'allais pas briser ce moment de grâce en lui faisant remarquer qu'elle pouvait se retenir de me vanter le caractère de son père. Comme sa demi-sœur se prénomme Aurora, j'en conclus que Georges vogue toujours dans des ailleurs cosmiques. Depuis quelque temps je ne l'ai pas vu, mais ma fille m'assure que ses cheveux ont blanchi, au grand désarroi de son épouse attentionnée qui lui concocte depuis peu des cocktails de teinture qu'elle applique avec une brosse à dents. « Ça lui fait des mèches très originales, tu vas aimer ça, maman. » A vingt ans, Maud continue de me parler de son père comme si sa vie actuelle me passionnait et que j'en faisais encore partie. De fait, il m'arrive de penser à lui. En flash-back. Les jumeaux ont dix ans, nous roulons en auto, sa main retient ma cuisse, on écoute Paul Anka alors que défilent devant nous les paysages familiers de l'Interstate qui nous amènent sur les plages du Maine ou du Massachusetts. Une période que je croyais alors éternelle.

A la fin de la conversation, Maud m'a soutiré de l'argent pour rembourser son frère à qui elle a emprunté deux cents dollars. « Pourquoi n'es-tu pas venue me voir d'abord ? » ai-je demandé. « Je ne voulais pas t'embêter et surtout je préférais faire affaire avec Albert pour éviter que tu me demandes pourquoi. » « Pourquoi, justement ? » « Ça y est. Tu recommences. Je ne peux pas te le dire et peu importe, tu ne comprendrais pas. Fais-moi confiance pour une fois. » J'ai laissé tomber. « Prends mon portefeuille et sers-toi. » « Je suppose que si je t'embrasse, tu vas croire que c'est par intérêt ? » a-t-elle rétorqué. Le moment magique entre nous avait atteint sa limite.

Ce matin, j'ai choisi d'étrenner un nouveau tailleur. Il m'amincit et si je m'observe de profil dans le miroir, en retenant bien mon souffle pour rentrer

l'abdomen, je me plais assez. Georges m'a donné
rendez-vous dans un restaurant végétarien réservé les
week-ends à l'usage exclusif des célibataires à la
recherche de l'âme sœur non carnivore. Maud me
raconte que son père et sa belle-mère boycottent
depuis peu le poisson et les fruits de mer. Pour
l'instant, ils dispensent les bébés de leur régime,
Georges ayant décidé de ne pas céder à la demande
de sa femme plus militante. Maud estime qu'elle
exagère. « J'ai averti papa que s'ils imposaient le
régime pur et dur aux enfants, j'allais les dénoncer
à la Direction de la protection de la jeunesse. Il a ri
mais pas Annette. » J'aime ma fille quand elle rai-
sonne de la sorte.

Je me suis présentée au restaurant à l'avance pour
avoir le temps de me calmer. Je peinais à me composer un air que je voulais détaché et naturel. J'ai
ouvert le journal pour me donner une contenance
et éventuellement pour me réfugier derrière les pages
afin de jouer l'effet de surprise à son arrivée. Merde,
me suis-je dit. T'es une femme exceptionnelle, forte,
drôle, vivante. Il t'a préféré une béate, plongée dans
le ravissement perpétuel, qui aime trop les mouches
et les araignées pour les tuer, qui croit que la terre
entière est un jardin de roses à cueillir gratuitement,
décroche. Je délirais quasiment à haute voix si bien
que Georges a réussi à s'approcher de la table avant

que ma mise en scène ne soit au point. J'ai d'abord vu ses mèches. Je m'attendais à ce qu'elles fussent noires mais elles sont blondes. Avec son teint perpétuellement bronzé, ça lui fait une tête de nageur à Malibu. Re-merde, ai-je pensé, il n'a jamais été aussi beau de mon temps. Il s'est penché, m'a effleuré les joues et j'ai constaté qu'il a changé d'eau de toilette. Jusqu'à récemment il utilisait encore la nôtre ; il aura donc mis quatre ans pour l'abandonner. « Je suis en retard, peut-être ? » J'ai répondu : « Non, c'est moi qui suis en avance. » Il a renchéri : « T'as toujours su gérer ton temps mieux que moi. » J'ai réagi au quart de tour : « C'est un reproche ? » Il a pris son ton cajoleur que j'avais oublié. « Bien sûr que non, c'est un compliment. » Après pareil échange, on se dirigeait directement dans le cul-de-sac que je redoutais. Comme s'il lisait dans mes pensées, il a dit : « Si on commençait par un apéro. » « Tu bois le midi, maintenant ? » Ça repartait de plus belle. Je me sentais si bizarre. Comme si je désirais avancer droit devant moi et qu'à mon corps défendant, je bifurquais sur des rails trop prévisibles. Je me détestais et je haïssais le moment. Il a continué : « Tu ne bois pas, même en mangeant ? » J'ai ajouté : « Oh, tu sais, les plats végétariens, ça n'a pas besoin d'être arrosé. » Et là, j'ai poussé : « Ça gaspillerait le vin. » Avant même de terminer ma phrase, je la regrettais. Cette fois, je ne bifurquais pas, je déraillais. « Je te demande pardon. Je ne sais pas ce qui m'a pris. » Je le savais trop bien. Georges s'était légèrement reculé. Il faisait un effort pour se contenir, esquissant un sourire commandé par une contraction volontaire de la partie inférieure de la bouche. Il y arrivait presque. J'ai dit : « La réunion de ce matin s'est mal déroulée et l'on a perdu un gros contrat. » J'étais prête à inventer une maladie, l'accident d'une connaissance, le suicide d'un ancien collègue, n'importe quoi pour l'attendrir ou le distraire afin de l'obliger à ne plus être sur la défensive. Je stagnais. La perte du contrat l'a titillé et il m'a questionnée à ce sujet. Ça y est, il veut connaître l'état de mes revenus afin de me demander de l'argent, ai-je pensé. D'après Maud, il travaille désormais à mi-temps pour mieux profiter de sa double paternité, celle de sa deuxième vie car, les jumeaux, il les voit rarement. Je soupçonne ma fille d'exagérer la qualité de ses rapports avec son père pour entretenir la concurrence entre nous et m'obliger ainsi à délier les cordons de ma bourse en sa faveur. « Si tu ne veux pas que j'aime trop papa, crache », doit-elle penser. J'ai expliqué à Georges que l'insécurité économique actuelle – tout le monde croit toujours à l'insécurité, même quand c'est faux – avait une incidence directe dans mon domaine, donc que les temps étaient durs. J'aurais bien continué sur ce thème pour le décourager si, d'aventure, il espérait une aide matérielle de ma part. J'avais une peur bleue qu'il ait découvert le cas de jurisprudence en matière de divorce qui oblige un conjoint plus prospère à assumer matériellement son ex, même remarié, si ce dernier fait la preuve de son embarras financier. Aussi, je multipliais les informations secondaires et tertiaires sur l'économie pour l'empê-cher de prendre la parole, craignant, à mon habi-tude, de découvrir le but exact de notre rencontre.

Je l'observais manger son gratin de courgettes. J'avais oublié avec quelle minutie il maniait ses cou-verts et portait la nourriture à sa bouche. Il mangeait non pas avec appétit mais avec application. Je l'avais connu lent de gestes, il avait accédé depuis notre séparation à l'étape du ralenti. J'ai failli l'imaginer au lit avec elle mais je me suis mentalement débran-chée de ces pensées maso. Alors que je picorais dans une salade composée, arrosée d'huile d'avocat, il s'est raclé la gorge. Voilà, me suis-je dit, quels que soient les propos, reste impassible (impossible), semble détachée et empathique à la fois (un exploit surna-turel). « Si j'ai souhaité te rencontrer, ça n'est pas pour parler des jumeaux ni de moi. » Soulagée, j'ai failli demander : « D'Annette alors ? » « Il s'agit de ma mère. Ma sœur Estelle m'a téléphoné après en avoir parlé avec notre sœur Luce et elle m'a exposé la situation. » « Laquelle ? » ai-je dit, mais je devinais. « Puisque tu la fréquentes régulièrement, tu sais parfaitement que notre pauvre mère, en prenant de l'âge, a développé des lubies. Luce prétend même que tu l'encourages. Est-ce vrai qu'elle se serait entichée d'un homme plus jeune qu'elle ? » « Demande-lui toi-même », ai-je répondu sur un ton trop mordant. De fait, il s'est énervé. « Écoute, Jeanne, je ne te reproche pas tes liens avec ma mère mais je veux m'assurer que tu ne la confortes pas dans ces folies, comme le croit Luce. Tu vois d'ici les conséquences ? » J'ai répondu, feignant la naïveté : « Non, je ne vois pas où tu veux en venir. » Il jouait avec sa cuillère, la frappant sur la table, et je sentais une colère, rare mais violente dans son cas, monter en lui. J'ai dû sourire malgré moi car il m'a fusillée du regard. « Il n'y a rien de drôle à assister à la déchéance d'une vieille dame perdant progressivement la tête et se laissant séduire par un emberlificoteur qui n'en veut qu'à ses biens. »

Ainsi, Georges jouait le rôle d'émissaire de la famille préoccupée par l'héritage. C'était banal et désolant. « Tu as de l'ascendant sur elle, maman t'aime et a confiance en toi. Tu peux et dois la protéger contre elle-même. Au nom de notre amitié (tiens donc) et dans l'intérêt de tes propres enfants, les biens de maman leur reviendront en partie tout de même. » Comment avais-je pu vivre avec un être aussi mesquin ! « Je suis outrée, ai-je lancé. Ta mère est une personne exceptionnelle qui a toute sa tête, qui est libre de ses actes et qui n'a qu'une tare dans sa vie, c'est d'avoir accouché de trois abrutis comme vous. » J'avais haussé le ton et les gentils végétariens qui nous entouraient mettaient le nez dans leurs assiettes tout en jetant des coups d'œil furtifs vers notre table. J'ai fouillé dans mon sac pour dégoter mon portefeuille. Georges, blanc de rage mais habitué à se contrôler, a marmonné : « J'aurais dû m'en douter. T'as toujours été hystérique et sans jugement. » J'ai sorti sans les compter quelques billets que j'ai déposés et non lancés – moi aussi je sais me contrôler – au milieu de la table et j'ai quitté si rapidement la place qu'oubliant mon porte-documents j'ai dû revenir sur mes pas. Georges avait ramassé les billets dont il faisait le décompte. Je me suis mordu l'intérieur de la joue pour éviter de prononcer des mots irréparables. On ne peut pas éclabousser celui avec lequel on a vécu vingt ans sans se déshonorer soi-même.

Rachid... c'est à lui que j'ai pensé une fois sur le trottoir. Me couler dans ses bras pour chasser la vieille rage qui ne m'a jamais désertée en dépit des apparences. J'arrive à me leurrer moi-même en me croyant délivrée de la traîtrise de Georges. Mon affection réelle pour ma belle-mère n'explique pas à elle seule ce besoin de la fréquenter. Les sentiments les plus nobles ne sont pas exempts d'impureté. Georges blêmirait s'il connaissait la nature des liens qui m'unissent à sa mère. Je me venge aussi de lui en aimant sa mère.

D'ailleurs, pourquoi aime-t-on une personne plutôt qu'une autre ? Par admiration, par ennui, par envie, par dépit, par intérêt, par procuration ? Où classer Rachid dans cette énumération ? J'ai le sentiment d'avoir besoin de lui parce qu'il m'est inutile. Je réagis de même face au Dieu de mon enfance. Il m'habite seulement dans les moments de bonheur. Le malheur ne m'inspire jamais de prières. L'idée de marchander me déplaît. « Tu me consoles, je te fais une neuvaine » est une position déshonorante. J'aime Rachid aussi à cause de la conviction que j'ai qu'il peut se passer de moi. Ça me dérange mais ça m'attire. Je vais crever paradoxale. « So what ? » dirait Rachel.

10

Louise bat de l'aile. Satsuo s'est rendu à Toronto pour y retrouver un cousin et hier, au téléphone, il a informé Louise de son intention de chercher du travail là-bas. Il ne compte pas revenir à Montréal et lui a demandé d'expédier ses vêtements par autobus. Avant de s'effondrer, elle a trouvé la force de mettre les kimonos, les costumes Armani et autres griffes dans des sacs verts qu'elle a déposés à la gare des autobus après avoir convaincu l'employé d'accepter ces bagages inusités. « Comment as-tu fait ? » lui ai-je demandé. « Je lui ai donné ma carte et je l'ai assuré que je lui réparerais les dents gratuitement. J'espère seulement qu'il n'aura pas besoin d'implants car chaque sac me reviendrait très cher. » Pas surprenante, cette volte-face de Satsuo qui n'arrivait pas à baragouiner le français, signe révélateur de sa résistance à Louise et à nous tous, à vrai dire. Adieu les arrangements floraux monacaux dont

j'avais marre. J'espère que Louise va se « dézenniser »
légèrement, ce qui ne transformera pas son appartement en cottage cosy pour autant mais rendra les
soirées chez elle plus confortables.

Pour se remonter le moral, ma vieille amie s'est
inscrite à un cours d'hypnotisme sous prétexte que
ça lui servira dans son travail, mais sa motivation a
peu à faire avec le perfectionnement dentaire. Elle
jure que certains patients trop nerveux vont entrer
en transes à la seule vue du diplôme d'hypnotiseur
au mur. « Si ça ne marche pas sur les patients, tente
le coup avec des soupirants », lui ai-je suggéré.
« Avant que j'en laisse un seul m'approcher, les pou-
les auront des dents », a-t-elle répondu en essayant
de sourire. « Ça augmentera ta charge de travail »,
ai-je répliqué. Elle a haussé les épaules en soupirant
et j'ai compris que cette lassitude cachait une bles-
sure qu'elle ne voulait pas admettre. On n'installe
pas un homme chez soi sans risque et sans désir
secret. Elle éprouvait pour ce garçon sans intérêt un
attachement inexplicable. Bien téméraire celui qui
croit saisir la vraie nature de ses amis. Me voilà
désormais entourée de femmes libres qui ne savent
que faire de cette fichue indépendance et qui souffrent en silence.

En sortant de chez Louise, j'ai croisé Paul, son ex,
à qui je me suis bien gardée de mentionner que je

sortais de chez elle. Il rayonnait et m'a embrassée avec un tel enthousiasme que j'ai cru qu'il avait trop bu. « Mon Dieu, Paul, viens-tu de gagner le gros lot de Loto-Québec ? » « Ma chère Jeanne, tu as devant toi un homme qui va être père et grand-père le même mois. Je suis fou de joie. Juliette attend une fille et ma femme un garçon. Les deux vont accoucher l'été prochain. » « Trop d'émotions sur le cœur d'un quinquagénaire risquent de provoquer l'infarctus », ai-je ajouté avec un rire trop sonore pour être naturel. « Toujours aussi drôle, Jeanne. Pas surprenant que tu te sois enrichie en inventant des phrases percutantes. » Voilà une nouvelle génération de pères andropausés, béats, émus de pouvoir encore engendrer. Je les imagine sexagénaires, contestés par des adolescents qui les traiteront de croulants. Louise n'est évidemment pas au courant. Depuis qu'elle a quitté Paul et que ses filles ont pris le parti de leur père, elle a revu Juliette une seule fois, à sa demande répétée, et ce fut une catastrophe. C'est un vrai mystère pour moi que la relation de ces deux-là. Si je n'ai jamais interrogé Louise là-dessus, c'est par crainte qu'elle m'annonce des horreurs que je préfère ignorer. Je suis atteinte de la phobie de la mauvaise nouvelle et je n'arrive pas à la surmonter. « J'ai à vous parler » est une phrase qui me glace quel que soit celui qui la prononce. Je me console en me disant que le jour où je deviendrai sourde – on n'y échappe pas davantage qu'à la presbytie –, la peur d'entendre les mauvaises nouvelles, les miennes et celles de tout le monde, me quittera. Heureusement, la vieillesse comporte quelques bénéfices marginaux, pour parler comme dans les conventions collectives. Quant à Rose, la benjamine, si elle a gardé le contact avec sa mère, son départ précipité dans les Rocheuses indique bien la distance qu'elle a souhaité établir avec ses parents. Lorsque je demande de ses nouvelles à Louise, elle répond invariablement que sa fille a trouvé sa voie et qu'elle gagne sa vie en accompagnant des groupes de touristes en rafting l'été et en ski l'hiver. « Rose pratique les sports extrêmes. C'est sa passion », prétend sa mère. « Ça ne t'inquiète pas ? » lui ai-je demandé un jour où elle venait d'apprendre qu'elle s'était cassé la jambe en ski acrobatique. « Chacun joue avec le danger selon sa nature », a-t-elle répondu. J'ai compris que c'était une fin de non-recevoir. Et de plus, de quoi je me mêle ! C'est la phrase que je me suis répétée après avoir quitté Paul car j'ai été tentée de retourner chez Louise pour l'informer des naissances à venir avant qu'une âme charitable ne le fasse. Puis j'ai pris conscience que je serais cette âme-là alors que l'amitié consiste aussi à se taire et à éviter de jouer les émissaires de malheur. J'imagine la réaction de

Louise en apprenant que son ex préparera le biberon et frictionnera les fesses du bébé dans les années à venir pendant qu'elle tentera de trouver la dose exacte d'Œstrogel à se frotter à l'intérieur des cuisses.

Contrairement à ma première impulsion, pas question non plus de raconter à belle-maman la rencontre avec son fils unique. Rachid et moi sommes invités chez son Hector. « Figurez-vous, Jeanne, que mon Apollon fait aussi divinement la cuisine », m'a-t-elle dit, admirative. Rachid a semblé hésiter. « Ça t'embête ? » « Oui et non, a-t-il rétorqué. Je me mets à la place de ton mari. » « Mon ex, s'il te plaît. » Les rares fois où il fait référence à Georges, c'est en oubliant que nous sommes non seulement divorcés mais que ce dernier est remarié. Rachid parle aussi très peu de sa femme décédée. J'observe, à la façon dont il se comporte dans son appartement, qu'il devait se ranger dans la catégorie des hommes distraits qui ignorent où se trouvent les vêtements, la vaisselle et les outils de première nécessité. Il affirme souvent qu'il est devenu un homme d'intérieur à cause de moi. Qu'est-ce que ça devait être auparavant ! « Ta belle-mère est inclassable, séduisante, irrésistible, mais permets-moi de te dire que je n'aurais pas pardonné à ma mère de recevoir chez elle l'amoureux de mon ex-épouse. Ce pays ne cessera jamais de me surprendre. J'ignore ce qui coule dans les veines des femmes d'ici. Je constate, j'en profite et avec toi, mon amour, j'en abuse. » Ces épanchements de Rachid sont rares hors de la chambre à coucher. J'ai remercié tout bas belle-maman d'avoir suscité ce précieux moment.

Une décoratrice abonnée à *Elle Déco* a aménagé l'appartement d'Hector. Aucune faute de goût, des meubles à la fine pointe du design milanais, des tapis de laine blanc cassé tissés en Nouvelle-Zélande, quelques bustes gréco-romains, des tableaux expressionnistes car Hector se passionne pour la peinture germano-autrichienne du début du XXᵉ siècle et des bibelots sur des tables de bois et de verre. « C'est ma fille qui m'a créé ce décor. Je n'aime pas les ameublements lourds. Ça vous plaît, Jeanne ? » « Oui, je suis même très surprise. » Rachid m'a jeté un regard, l'air de dire « où veux-tu en venir ? ». Je ne le savais pas moi-même. Je meublais simplement la conversation car quelque chose ne tournait pas rond chez ma belle-mère. Elle feignait l'excitation de nous voir mais je la connaissais trop. Elle me communiquait son malaise. La soirée s'annonçait difficile. J'ai profité d'une conversation entre les deux hommes pour lui faire un signe de la main. Elle a saisi tout de suite. « Hector, j'aimerais montrer ta bibliothèque à Jeanne, tu permets ? Hector collectionne les livres pieux. C'est édifiant, vous allez voir. » En refermant la porte du bureau derrière nous, elle m'a pris les deux mains dans les siennes. Elle tremblait. « Croyez-le ou non, mes enfants m'ont invitée au restaurant, ça m'a fait grand plaisir mais je ne savais pas ce qui m'attendait. » Ils s'y étaient mis à trois. Le conseil de famille pour sauver non pas l'honneur mais les meubles. « Estelle et Luce se sont déchaînées quand je leur ai fait remarquer que je disposais de ma personne et de mon argent à ma guise jusqu'à ma mort. Georges essayait de temporiser, mi-chair mi-poisson, comme à son habitude. J'ai été obligée de les prévenir que s'ils continuaient, j'allais claquer d'une crise cardiaque devant eux. Eh bien, savez-vous, je crois qu'ils le souhaitaient secrètement. Je vous dis tout, Jeanne, parce que mes propres enfants m'ont déclaré la guerre. S'ils avaient la moindre chance, j'imagine qu'ils tenteraient de me faire déclarer aliénée et me placeraient sous curatelle publique. » Je regardais cette femme de quatre-vingt-quatre ans dont la vie avait été consacrée à son mari grognon et à ses enfants, défenseurs officiels des exploités qui considéraient leur mère comme une servante et une pourvoyeuse de sécurité et de fric. Voilà donc où menait la maternité faite de sacrifices, de générosité, de patience, d'amour inconditionnel. Le bonheur de leur mère ? Une contradiction dans les termes pour ces trois matadors. J'avais une envie irrépressible de prendre ma belle-mère dans mes bras et de l'apaiser, de la rassurer aussi. Ils allaient me la tuer, si je ne m'interposais pas. Chaque mois de vie d'un octogénaire équivaut à une année de vie chez une personne dans la force de l'âge. Combien lui en restait-il à vivre ? Et cet homme qui lui renvoyait d'elle une image éternelle, cet homme-miracle, elle devrait lui signifier son congé ? « Excuse-moi de te décevoir, Hector, mais mes enfants ne t'apprécient pas et je ne veux pas leur faire de peine. » Estelle, quarante-huit ans, Luce, cinquante et un ans, et Georges, cinquante-trois ans, donnaient signe de vie à leur mère à son anniversaire, aux fêtes et lorsqu'ils lorgnaient une nouvelle voiture, songeaient à faire un voyage en avion, les billets coûtent si cher, n'est-ce pas. Luce est la championne toutes catégories. Sa mère lui a payé toute sa vie son appartement, la pauvre ne réussissant jamais à garder son emploi. La malchance s'abat sur elle, apparemment. Elle tombe sur des patrons caractériels. Pas de chance non plus dans sa vie amoureuse car elle s'amourache de ces mêmes patrons, si bien qu'elle perd emploi et amoureux en même temps. Quant à Estelle, il m'est toujours apparu que sa pingrerie proverbiale révélait celle de ses sentiments. Il existe des êtres pour qui donner semble une menace, comme si on leur soutirait un rein, de la moelle épinière ou un bout de peau. Estelle appartient à cette race.

J'ai gardé pour moi les pensées que m'inspirait sa progéniture. Ma belle-mère n'avait pas besoin de cet accablement supplémentaire et on ne vante pas les mérites d'une mère en dépréciant ses enfants. « Vous avez un afficheur sur votre appareil téléphonique. Eh bien, ne répondez plus à vos enfants pour quelque temps. » Elle me regardait fixement mais son esprit était ailleurs. « Trouvez-vous, Jeanne, que je mérite des scènes pareilles alors qu'il ne me reste que quelques belles années à vivre ? » Chaque fois qu'elle fait référence à sa mort, je veux m'enfuir. « Vous méritez Hector, n'est-ce pas ce qui compte ? » Elle a hoché la tête, mais sans conviction. « C'est une chance pour mes filles qu'elles n'aient pas d'enfant. Une histoire comme la mienne leur sera épargnée. » Elle n'arrivait pas à les blâmer. Elle se protégeait aussi car la rancune est un sentiment qui épuise et mine celui qui l'entretient. Je la regardais, pleine d'admiration, en pensant qu'il existe des enfants qui ne méritent pas leur mère. J'avais, pour ma part, hérité d'une mère à l'esprit fêlé que j'avais aimée avec douleur et dans le renoncement. Georges et ses sœurs, au contraire, avaient été aimés dans un cocon, protégés des malheurs extérieurs. Ils n'avaient développé ni reconnaissance, ni même un attachement plus fort que leur propre égoïsme. L'enfance idéale est bien un leurre.

Il fallait retourner vers ces deux hommes qui nous avaient choisies. Le fait d'être aimées effaçait toute différence d'âge entre nous. J'avais envie de lui dire : « Belle-maman, je vous aime ! » mais je n'y arrivais pas. Elle a perçu mon trouble. « Allons, reprenons nos sens, ma chère enfant. Si ça continue nous allons nous liquéfier. » Elle a reniflé comme on le fait à huit ans, m'a tendu un mouchoir, ce bout de tissu en train de disparaître avec sa génération, et je me suis mise à rire en me mouchant bruyamment. Elle a dit : « Attendons deux minutes que nos yeux dérougissent. Ça va alarmer les hommes. » Elle avait pris le contrôle de la situation et j'obéissais.

Lorsque nous avons rejoint Hector et Rachid, ce dernier a fait mine d'ignorer que l'on avait toutes deux les yeux rougis. Hector s'est approché de la mère de Georges et l'a enveloppée d'un regard interrogateur où pointait une inquiétude. Elle lui a souri tendrement en lui tapotant la main : « Les histoires de femmes sont trop compliquées au goût des hommes. Alors, est-ce que Madame est servie, cher ? » C'était beau à voir.

11

Rachid assiste à un congrès à Grand Rapids, Michigan, et malgré son souhait je n'ai pu l'accompagner. Gagner sa vie entre parfois en conflit avec la vivre. Si j'étais honnête, j'avouerais aussi que la ville ne m'inspire guère de curiosité. Je n'ai pas envie de passer mes journées à lire dans une chambre d'hôtel anonyme, car j'ai jeté un œil à des guides qui restent muets sur les charmes de l'endroit. Tu t'habitues, me suis-je reproché. Au début de notre relation, j'aurais fait des pieds et des mains pour me libérer. Rachid est déçu, plus que je l'aurais imaginé. Dois-je y déchiffrer un quelconque message subliminal ? Ma tendance à douter reprenant le dessus, je m'interroge sur la pertinence de ma décision. Mais il me manque cette étincelle du temps d'avant où rêvasser de Rachid me troublait au point que j'étais incapable de me concentrer sur autre chose. Quatre jours d'absence, ça n'est pas négligeable. Ça nourrit le désir et me permettra de voir les copines, à défaut des jumeaux. J'ai fait une croix sur cette vie passée où nous nous retrouvions presque chaque soir autour de la table. Transformés en comètes, les enfants occupent la maison selon un horaire surprenant. Ils mangent à des heures indues et, si j'en crois leurs va-et-vient, j'en déduis que les cours à l'université se donnent la nuit, seul moment où la troupe est dehors. Récemment, la femme de ménage a exigé une journée de travail supplémentaire par semaine. « Juste pour le lavage et le repassage des draps, madame Jeanne, ça me prend six heures. C'est un hôtel chez vous. Je vous trouve bien accommodante. Je me mêle pas de vos affaires mais ça doit vous coûter un bras. » Rare qu'elle commente les faits et gestes de la maison. Je devrais sévir mais comment ?

J'ai pris rendez-vous avec Maud et Albert mais l'un comme l'autre avaient une « activité ». J'ai donc exigé, poing sur la table et haussement de ton, qu'un soir l'on dîne tous les trois seuls à la maison. « Ah ! a soupiré Maud, on n'ira pas au restaurant. » J'ai rétorqué : « Non, j'en ai assez de dépenser. » Elle a répliqué : « De toute façon, ça coûte de l'argent pour manger ici. T'es dans ta période économie de bouts de chandelle, je suppose. » Albert, conciliant parce que allergique aux affrontements entre sa sœur et moi, est intervenu. « T'exagères, Maud. On peut

faire des reproches à maman mais pas sur l'argent. »
Ça m'a piquée. « Quels reproches, s'il te plaît ? » lui
ai-je demandé. Embarrassé, il a tenté de s'en sortir.
« La perfection n'étant pas de ce monde, tu traînes
bien quelques scories depuis que tu as l'âge de raison,
c'est-à-dire depuis que ton jugement moral est en
mesure de s'exercer. » « Ça suffit, Albert, ai-je dit.
Garde ta grandiloquence pour tes amis sous-scolari-
sés. » Maud jubilait, l'attaque s'étant déplacée vers
son frère. Comme quoi sa jalousie, toujours en éveil,
ne demande qu'à remonter à la surface. Encore une
fois les jumeaux me faisaient perdre pied. Dans ces
moments-là, je tire à vue, poussée par une agressivité
dont je n'arriverai jamais à me débarrasser. Ma
vieille, que je me suis dit, remonte la pente sinon il
est impensable que tu te retrouves à table avec eux.
J'ai donc adopté le ton le plus neutre. « On est trop
émotifs tous les trois. Si on y met un peu de bonne
volonté, on peut encore prendre plaisir à être ensemble. » Maud a ouvert la bouche mais Albert avait eu
le temps de lui donner un coup de coude dans les
côtes pour la faire taire. « Aïe ! s'est-elle exclamée, je
vais te dénoncer à l'association des sœurs battues. »
On a éclaté de rire en chœur. « Allez, on ira au
restaurant », me suis-je entendue dire. « Tu vois,
maman, a conclu Maud, notre trio finit toujours par
s'accorder. » « Dis plutôt que maman cède à tes

moindres caprices de princesse gâtée », a dit Albert.
« Elle contrecarre son penchant naturel pour toi,
mon cher frère. » Quand elle utilise l'expression
« mon cher frère », Maud se prépare à une attaque
d'artillerie. Sur-le-champ, j'ai entraîné Albert à la
cuisine, sans quoi l'échange aigre-doux allait se transformer en pugilat.

J'ai convaincu Rachel d'organiser un dîner où l'on
se retrouvera entre copines comme dans le bon vieux
temps. Signe que son moral est par terre, Rachel ne
reçoit plus depuis plusieurs mois. « It's O.K. if it's
casual », m'a-t-elle prévenue. J'ai répondu : « Ta
bonne franquette, ça ressemblera à un dîner chez la
Gouverneur Général. » Elle a ri mais le cœur n'y est
plus. Je l'ai à l'œil, celle-là. Sur son insistance, j'ai
dû consentir à ce que Claire soit présente. Je me
sens minable mais je ne voulais pas qu'elle l'invite.
C'est triste à admettre mais mon amie m'effraie. Son
relâchement physique, la déprime dans laquelle elle
se complaît me donnent envie de la fuir. Louise, à
qui j'ai osé l'avouer, estime que je dramatise, que
Claire va mal, certes, mais qu'elle s'est toujours
fichue de son allure et que le problème réside ailleurs. « A cinquante ans, le look dit naturel ne tient
plus la route. Pour éviter de passer pour une hippie
ou une sorcière mal-aimée (Rachel dirait une mal-

baisée), on doit absolument se reconvertir en cos-
métologue. » Elle a raison. Avec l'assurance vie,
devrait s'ajouter une assurance esthétique pour cou-
vrir les coûts faramineux des produits de beauté, des
coiffeurs qui vous ruinent en mèches balayées et
teintées et des chirurgiens esthétiques payés comp-
tant, vive la fiscalité, ces francs-tireurs dont le commerce prospère de manière vertigineuse grâce à la
courbe démographique du vieillissement de la popu-
lation occidentale.

Pour rendre service à Rachel, je suis arrivée sans
prévenir, une demi-heure à l'avance. Elle avait dressé
une table à l'effet dramatique, inspirée par la saison.
Les feuilles sèches déposées au centre se retrouvaient
dans le dessin des assiettes au rebord noir. Les cou-
verts, les verres, la nappe rappelaient les couleurs
sombres de l'automne. Seuls le vert des pins minia-
tures laissait poindre une espérance. Je ne voulais pas
la chagriner mais je trouvais le coup d'œil déprimant. Ne manquaient que des gouttes de pluie glacée tombant du plafond et Yves Montand chantant
Les Feuilles mortes. J'ai pensé : « Quelle table mor-
tuaire », mais j'ai dit : « C'est mélancolique, l'éclairage est peut-être un peu trop tamisé. » Elle a
répliqué : « C'est parfait pour des femmes de notre
âge. » J'ai compté dix couverts. Ça m'a surprise.
« A part toi, je n'ai invité que des femmes qui sont

sans homme, c'est peu dire que j'avais le choix de mes invitées. » Ça va être gai, que j'ai marmonné pour moi seule.

Elles sont toutes arrivées en même temps, chacune une bouteille à la main. Sauf Claire, elles ressemblaient à l'image stéréotypée de la femme active, sûre d'elle-même. La plupart portaient des vêtements griffés, jupes ajustées, pantalons noirs, vestes satinées, et les quatre qui m'étaient inconnues affichaient une petite quarantaine. A cet âge, la réussite arrogante n'a pas encore été pulvérisée par le choc de la ménopause. L'humilité s'acquiert avec la disparition des œstrogènes quoique la baisse de testostérone chez l'homme ne mène pas à plus de modestie. Selon Louise, des quasi-impuissants imbus d'eux-mêmes jouent les tombeurs jusqu'au moment de se mettre au lit où, sans Viagra, ils sont démasqués. C'est aussi l'âge où ils augmentent la force de leurs cylindrées de voiture. Hypothèse à vérifier. Y a-t-il un rapport inversement proportionnel entre le nombre de cylindres et la capacité érectile ?

La soirée a débuté sur les chapeaux de roues grâce à une Catherine que je ne connaissais pas, qui, avec un aplomb incroyable, a d'abord exigé le silence parmi l'assemblée. « Entre femmes, on n'a rien à cacher. Alors je propose que chacune se présente. Je suis Catherine Pouliot, deux mariages, deux divorces, six cohabitations incluant les mariages, des dizaines d'amants, actuellement en sabbatique d'hommes. Une fille de seize ans en garde partagée. » Louise m'a jeté un regard indécis. Devait-on rire ou s'attrister ? « C'est à votre tour », a-t-elle dit en me fixant. Où donc Rachel l'avait-elle dégotée, celle-là ? Les autres semblaient amusées et le vin qu'elles buvaient à un rythme soutenu y était sans doute pour quelque chose. Je me sentais coincée. J'ai dit : « Je passe mon tour. » Sans se démonter, la boute-en-train a répliqué : « Vous devez avoir des choses à cacher. On va patienter. Mais vous n'allez pas vous en tirer comme ça. » Louise a souri. A ma surprise, personne ne se désistait. On assistait à une nomenclature de malheurs, de désastres et de guerres conjugales et chaque description déclenchait des rires en cascade. Lorsque Rachel a conclu son C.V. en affirmant qu'elle s'endormait désormais dans les bras de son somnifère préféré, des cris de joie ont fusé. A la fin, Catherine n'allait pas me laisser lui échapper. Elle a dit : « Et toi ? » J'ai avalé une gorgée de vin et j'ai déclamé, hypnotisée comme les autres : « Mariée, divorcée, monoparentale, deux jumeaux de vingt ans à charge et un compagnon pour le moment. » Pour le moment ? Je venais de m'entendre prononcer cette expression et ça me faisait un effet bizarre. Comme si je m'apprenais quelque chose à moi-même. J'avais joué le jeu, elles étaient satisfaites mais la banalité de ma vie n'avait soulevé aucune interrogation et provoqué aucune réaction. Elle est ennuyante comme la pluie, devaient penser toutes ces éclopées sentimentales. Claire n'avait pas été en reste. Le mélange de médicaments et d'alcool, puissant cocktail, expliquait sans doute qu'elle n'avait rien caché de son état actuel. Elle seule avait réussi à imposer le silence en décrivant sa triste vie. Quelques-unes s'étaient même levées pour l'embrasser. Attirer la pitié, drôle de façon de se sentir exister, mais Claire semblait y trouver un réconfort et jouir de son triomphe.

Au dessert, des fruits évidemment, pour toutes ces femmes astreintes à des régimes aussi farfelus que dangereux pour pouvoir se glisser dans des fringues pour anorexiques, j'ai décidé de m'éclipser. Malgré leur drôlerie, leur vivacité, leur ego enflé, ces battantes m'insupportaient. Incarnaient-elles l'émancipation qu'on avait tant désirée ? J'en doutais fort mais les dix années qui nous séparaient m'apparaissaient un fossé infranchissable. Ma fille et ses amies m'étaient plus proches que ces « Don juannes ». Elles se comportaient à la manière des personnages de feuilletons télévisés que je n'avais aucune envie de fréquenter dans la vie. Sur le palier, Rachel, toute revigorée, m'a dit : « They are fun and clever, dont' you agree ? » « Trop amusantes pour moi, je t'avoue. » « Sometimes, you are a real pain in the ass », a-t-elle répliqué. Je la décevais. Je me suis penchée pour l'embrasser ; elle empestait l'alcool. Était-ce à ce prix qu'en vieillissant l'on s'amusait ?

J'ai roulé vers la maison mais l'idée d'arriver dans mon auberge de jeunesse me déplaisait. Et Rachid, que j'avais trahi, d'une certaine manière, par la façon cavalière avec laquelle je l'avais décrit, me manquait. Aux prises avec des émotions contradictoires, j'ai décidé de rouler dans la nuit. Pour oublier cette soirée, pour oublier Russell aussi dont les caresses me restaient en mémoire contre ma volonté. Je me suis engagée sur le boulevard périphérique dans l'intention de rejoindre l'autoroute du Nord. J'allais rouler pour m'alléger l'esprit et comprendre pourquoi Rachid était devenu dans ma bouche un « compagnon pour le moment ». « Ça y est, tu recommences ton psychodrame. » Je me parlais à haute voix tout en accélérant. Je laissais les vieux fantômes resurgir. Le vertige se rapprochait de moi. Partir, j'en avais la conviction, c'était simplement, dans une fraction de seconde, tourner brusquement le volant vers un pilier du viaduc. Je regardais mes mains accrochées au volant, je sentais mon pied droit s'enfoncer vers le plancher. « Arrête. » Mon cri m'a fait sursauter. Je devenais folle, gravement folle. Gratuitement folle. Je jouais. Mais à un jeu inconnu et si attirant. J'ai décéléré, sans oser regarder le rétroviseur. Lorsque j'ai été capable d'y affronter mon regard, je me suis rangée sur la voie de droite avec l'intention de m'engager dans la première sortie qui se présenterait. Je tremblais, apeurée de ce que j'avais été durant un millième de seconde. J'ai fait demi-tour vers la ville. Je roulais si doucement que la police m'a interceptée. « Vous êtes sur une autoroute, madame. Est-ce que vous avez un problème ? » J'ai répondu : « Excusez-moi. J'ai appris une mauvaise nouvelle ce soir et ça m'a perturbée. » Le policier a répliqué : « Il vaut mieux ne pas conduire en état de choc. » « Vous avez raison. Je rentre tout de suite. » « Bon courage ! » a-t-il lancé avant de retourner vers sa voiture. J'ai démarré. A haute voix de nouveau, j'ai décliné mon nom, mon adresse, mon code postal, mon âge, mon numéro de téléphone et celui de mon portable. Voilà qui tu es, me suis-je dit. J'avais été happée par le vide comme Alice mais, contrairement à elle, c'était pour le pays des terreurs. Épuisée, et ébranlée, j'ai débarqué dans une maison plongée dans l'obscurité. Les enfants dormaient ou n'étaient pas rentrés. J'ai évité de le vérifier en allant dans leurs chambres. Je préférais me convaincre qu'ils reposaient les poings fermés.

Et quoi encore !

Demain soir, je leur offrirais l'appartement qu'ils souhaitaient depuis plusieurs mois. J'allais les perdre. Seule consolation, j'avais choisi l'arrachement volontaire plutôt que le déchirement d'un départ à leur initiative.

12

La voix de Rachid m'a ramenée sur terre. « Un homme né à Alexandrie, vivant à Montréal et séjournant actuellement à Grand Rapids, Michigan, est amoureux de vous, madame. » J'ai demandé : « Quelle heure est-il ? » « En voilà un accueil », a-t-il répondu sans perdre sa gaieté. La soirée de la veille m'est revenue en tête. « T'entendre me fait du bien », ai-je dit. « Si j'étais à tes côtés, tu bénéficierais de quelques autres de mes atouts. » Encore une fois, j'observais que Rachid est plus explicite à distance que face à face. « Je te manque ? » ai-je demandé afin d'obtenir pour la millième fois la même réponse. « Plus que nécessaire », a-t-il rétorqué. J'aime ses flous de langage et le ton enjoué qu'il ne réserve qu'à moi. Après avoir raccroché, je suis restée étendue sans bouger, à l'écoute du moindre bruit m'indiquant la présence des enfants que je ne souhaitais pas voir avant notre rendez-vous au restaurant. Me revenait sans cesse en tête la scène de la veille dans la voiture et cette pensée provoquait le même serrement de gorge que j'éprouvais enfant lorsque des voisins ou parfois des policiers ramenaient ma mère qu'ils avaient trouvée par moins vingt degrés, en pyjama, dans une rue du quartier. Pendant vingt-cinq ans j'avais vécu en me croyant libérée de ce fardeau. Que se passait-il donc pour que je me sente à nouveau menacée ? Et pourquoi la présence rassurante de Rachid et l'affection dont il m'entourait ne parvenaient-elles pas à contenir ce flux d'ombres et de fantômes qui me conduisaient au bord d'un gouffre ? Je m'étais toujours moquée des gens qui théorisent sur les étapes cruciales de la vie, passage de la quarantaine, demi-siècle. Le changement de décennie m'avait jusque-là laissée de glace, croyais-je, car mon passage à moi n'était pas chronologique. Une rupture de couple échappe aux règles du calendrier. A observer la veille mes amies ballottées par la vie en dépit de leur énergie à tout crin, sans doute me fallait-il admettre que le poids des ans allait bientôt m'atteindre.

La journée m'a paru interminable. Je déteste avoir à remercier du personnel. Henri s'est toujours soustrait à cette tâche sous prétexte que je suis douée pour la gymnastique singulière qui consiste à inciter la personne à conclure qu'on lui rend service en lui signifiant son congé. Je ne sais pas d'où me vient ce talent de mettre en avant les qualités d'un employé par ailleurs incompétent ou inefficace. Rares sont ceux qui acceptent de jouer ce rôle, preuve en est qu'on charge de cette mission, la plupart du temps, des sous-chefs insensibles à l'ambition dévorante et qui finissent par se faire eux-mêmes jeter à plus ou moins brève échéance. J'ai donc attendu la fin de la journée pour convoquer le garçon qui nous a fait perdre deux contrats substantiels par son incapacité à s'imposer face à des compétiteurs. Il est sorti de mon bureau en me remerciant après m'avoir avoué que la publicité l'ennuyait. Il rêve de travailler dans le cinéma. « Avez-vous des enfants ? » ai-je demandé. « Non et je ne compte pas en avoir. On ne met pas d'enfants au monde pour leur faire subir les catastrophes qui nous guettent. On vit en sursis, vous ne trouvez pas ? » « Quel âge avez-vous ? » « Vingt-neuf ans, a-t-il répondu. C'est vieux. » Quel est donc l'hurluberlu qui l'avait recruté, celui-là ? J'ai ajouté, c'était plus fort que moi : « Comment peut-on se sentir vieux à votre âge ? » « Quand on a l'impression d'avoir raté sa vie. C'est mon cas. Vous y croyez, vous, aux bienfaits de la publicité ? » « Tout à fait », ai-je répliqué. « Ça me déçoit », a-t-il conclu en pre-

nant lui-même congé. Chaque être est un mystère.
Celui-ci se classait parmi les douloureux.

J'ai commandé le vin avant que les jumeaux apparaissent, écartant toute possibilité de chamaillerie
entre eux. Je souhaitais la soirée mémorable, voire
historique. Je la vivais comme un rite de passage
dont j'assumais le rôle de grande prêtresse. Le restaurant était quasi désert à cette heure. Allais-je leur
annoncer la nouvelle au début ou à la fin du repas ?
Ils sont arrivés ensemble. Par la fenêtre, je les ai
aperçus sur le trottoir en train de discuter vivement.
Albert, à son sourire en coin, venait sûrement de la
provoquer. Qu'il était beau, l'escogriffe. Il dominait
sa sœur d'une bonne tête. J'aime sa chevelure toujours en broussaille qu'il caresse avec vigueur de bas
en haut de crainte de ne pas être suffisamment
décoiffé. Il ressemble à son père, je l'avais espéré
quand j'étais enceinte, mais il a, en plus, une détermination et une intensité qui le singularisaient déjà
en maternelle. Georges a prétendu plus tard,
lorsqu'il s'est branché sur l'au-delà et les vertus miné-
rales, que le karma de son fils l'entraînerait vers des
sommets. Ça explique peut-être qu'il l'ait tant incité
à sauter en parachute. L'écrasement au sol d'un de
ses moniteurs a, Dieu merci, mis un terme aux desi-
derata de son père qui rêvait de transformer notre

fils en oiseau. J'aime aussi sa nonchalance étudiée, son allure élégante qui séduisent tout le monde, même mes amies. Si par malheur, l'une d'entre elles s'approchait de mon bébé, je lui sauterais à la figure et elle aurait intérêt à se trouver un chirurgien génial pour réparer les dommages. De nos jours, les mères se doivent d'être prêtes à tous les combats quand il s'agit de protéger leur enfant. Les filles s'amourachent de lui facilement. Je le sais par Maud car, entre Albert et moi, la discrétion est de mise. Je n'apprécie guère les confidences intimes entre parents et enfants, quel que soit l'âge, à vrai dire. Vieux jeu ? Je m'en fous. Personne ne me convaincra des bienfaits de connaître les détails de la vie sexuelle de nos enfants et à plus forte raison de les impliquer dans nos pratiques. « Au revoir, mon chéri, maman s'en va au club échangiste. » « Tu sais, ma fille, la sodomie ajoute une dimension palpitante au coït. » Très chic, très tendance mais très peu pour moi.

Physiquement, Maud ressemble à ma mère, les photos en font foi. Autres temps, autres mœurs, je la trouve trop provocante avec les garçons. Elle possède une assurance que je lui envie. Elle est plus typée que belle, personne ne reste indifférent à ses yeux mauves et au mélange de naïveté et de rouerie qu'elle dégage. Sans parler de son intelligence qui s'exprime à travers son sourire et sa façon de bouger.

Sa présence dérange. Ça explique son succès auprès des garçons et sa difficulté à garder ses amies. Je plains ceux qui ne savent pas y résister.

Avant même de déposer son sac à dos qu'elle traîne comme un boulet, ma chère fille s'est écriée en voyant la bouteille de bordeaux rouge sur la table : « Ah, j'avais envie de boire du blanc, ce soir. » Albert s'est penché pour m'embrasser et m'a glissé à l'oreille : « Elle est invivable. A mettre sur le compte de ses règles, je crois. » J'ai souri. « Pas de secret, vous deux », a-t-elle rétorqué car elle n'en rate aucune. Elle s'est assise. J'ai dit : « Pas de bonjour, pas de baiser. Je croyais t'avoir éduquée. » « Oh, excuse-moi », a-t-elle dit en bondissant de sa chaise pour venir vers moi. « Je te préviens, maman, Albert est dans sa phase mégalo. Il croit qu'il va réinventer l'architecture moderne. Il prétend que Pei et Philip Johnson, c'est de la merde. » Albert a pris son air accablé et, après un long soupir, il s'est adressé à moi comme si sa sœur n'existait pas : « Tu assistes à un détournement de discours, une spécialité de ma sœur. J'ai tenté de lui faire part de mes ambitions, compte tenu du talent que me reconnaissent mes profs, et sa cervelle d'oiseau l'entraîne à conclure que je crache sur les architectes qui ont imposé une vision de la modernité. » Pendant que son frère dis-courait, Maud me regardait en portant l'index à sa tempe gauche pour m'indiquer qu'il était détraqué. « Tu observes encore une fois, a-t-il poursuivi, l'impossibilité d'échanger entre ma sœur et moi et tu notes, j'espère, le fossé qui nous sépare désormais. » Le moment était trop bien choisi. Je me suis raclé la gorge comme les vieux notaires avant de lire un testament qui mettra le feu aux poudres parmi les héritiers et j'ai dit : « C'est bien dommage. Je ne pensais pas que l'incompatibilité de caractère était devenue si marquée entre vous. Je vous ai invités pour vous faire part d'une décision que j'avais prise mais c'est inutile maintenant. » Maud, avant même de m'interroger plus avant, a apostrophé son frère : « Espèce de demeuré. A force de caricaturer ma pensée et de jouer à l'agressé, tu vas faire croire à tout le monde qu'on se déteste alors que c'est le contraire. » Elle s'est penchée vers moi, feignant d'ignorer Albert. « Tu connais bien la psychologie des jumeaux, maman. On s'aime trop, voilà le problème. Alors qu'est-ce que tu voulais nous annoncer ? » Maud possède cette prescience pour deviner les choses la concernant. Albert, quant à lui, jouait l'indifférent. « Une déclaration d'amour, de ma sœur, ça me suffit. T'as pas besoin de nous révéler ce que t'avais derrière la tête. A moins de nous annoncer que tu convoles en justes noces ? » Un quart de seconde, il a paru nerveux, mais il s'est ressaisi sur-le-champ. Maud, elle, a été incapable de masquer sa stupéfaction. J'ai dit : « Albert, sers-nous du vin. » « Allez, maman », suppliait Maud. Je prenais un plaisir quasi sadique à les faire mariner, ça me rappelait leur excitation lorsque, petits, je revenais de voyage et qu'ils sautaient autour de ma valise, assurés d'y découvrir des cadeaux. « Vous aurez vingt et un ans dans quelques mois. » « Ça n'est pas ce que tu veux nous annoncer », a dit Albert, à demi rassuré. « J'ai toujours considéré que les parents utilisaient les héritages comme moyen de chantage sur les enfants, quel que soit leur âge. J'ai donc décidé de vous donner maintenant une partie de ce que vous toucherez à ma mort. » A peine avais-je prononcé le mot que les jumeaux ont poussé, en chœur, un cri de protestation. Puis ils ont eu une seconde réaction, et se sont avancés sur le bout de leur chaise dans l'expectative. « J'avais idée de vous acheter un appartement que vous partagerez durant vos études. Après, vous en ferez ce que vous voudrez puisque je vais le mettre à vos deux noms. » Maud a dit : « Qu'est-ce que tu vas faire de la maison ? » Ça m'a estomaquée. Je m'attendais à ce qu'elle saute au plafond et elle s'inquiétait de la maison familiale. S'imaginait-elle que je devais la leur céder et prendre un appartement pour moi ? J'avais presque envie de retirer mon offre. Donner sans avoir droit au plaisir du geste est insupportable. Albert est intervenu pour contrer sa rabat-joie de sœur mais lui non plus n'a pas prononcé les mots que je souhaitais entendre. « Non, tu es super-généreuse, maman, mais je considère anormal, à mon âge, de recevoir pareil cadeau. » « Tu n'agirais pas de même avec tes enfants ? » « Jamais, a-t-il répondu. Je considère qu'on devrait abolir l'héritage. » « Tu divagues », a répondu ma fille, s'extirpant de pensées que j'aurais bien aimé déchiffrer. Quelles espèces d'énergumènes avais-je donc mis au monde ? Les cris de joie, les remerciements, les effusions, le regard extasié que j'attendais, zéro multiplié par zéro. Mes enfants semblaient davantage préoccupés qu'heureux. « Est-ce que tu nous dis toute la vérité ? » a demandé Albert. Je n'ai pas saisi le sens de sa question sur-le-champ. Maud est intervenue et, là, tout est devenu clair. « Peut-être que ça t'arrange qu'on ne vive plus à la maison ? Rachid pourrait s'installer avec toi. » J'ai sursauté. « Vous croyez que je veux vous chasser ? » « Chasser ! Je n'utiliserais pas ce mot mais ça te permettrait de refaire ta vie avec Rachid. T'es pas une militante de la famille reconstituée et je partage ton point de vue, alors oui, tu peux faire d'une pierre deux coups, nous émanciper et te libérer en même temps. » Albert paraissait satisfait de sa tirade. Ça m'a frôlé l'esprit que les jumeaux avaient peut-être raison. Que ma générosité servait de paravent à un souhait plus inconscient. Allez savoir pourquoi, j'ai éclaté en sanglots. Albert, gêné, jetait un regard alentour, de peur qu'on nous remarque. Maud, elle, semblait absente. L'atmosphère s'alourdissait. Albert a fait signe au serveur et a choisi pour nous trois. le moment que j'avais voulu historique se transformait en scène de thérapie familiale. J'échouais de façon lamentable.

Mes enfants claironnaient depuis des mois leur envie de quitter leur mère, son contrôle et la maison, et voilà qu'ils me révélaient leur véritable intention, c'est-à-dire demeurer à l'hôtel, trois repas par jour avec avantages non négligeables, lavage, repassage et voiture à l'occasion. Plus l'allocation indexée et la sécurité affective à la carte. Bref, ils jonglaient avec l'idée de partir mais refusaient la réalité de la chose. J'étais à la fois embêtée et troublée. Il n'était pas question de les forcer à quitter la maison ni d'envisager de vivre avec Rachid. Sa culture ne le disposait pas à vivre en célibataire pour le reste de ses jours. Par ailleurs, la vie dans mon auberge espagnole me pesait. L'envie de ne plus entrer le soir chez moi, le réflexe de m'enfermer systématiquement dans ma chambre pour lire ou simplement écouter de la musique ou regarder les informations télévisées prouvaient bien mon malaise. Les enfants, en fait, voulaient partir au jour convenu par eux. Sans états d'âme et sans considération particulière pour l'avenir de leur mère. L'altruisme des enfants ? De la rigolade. « Tu n'as pas d'appétit, maman », s'est enquis Albert. « Tu sais bien qu'elle fait un régime une semaine sur deux », a répliqué Maud qui invente n'importe quoi. Je les laissais causer ensemble et ils s'accommodaient fort bien de mon silence. Pour eux, tout était réglé. Leur mère n'allait pas se remarier, ils pouvaient compter sur son aide matérielle, ils resteraient les hôtes en titre de la maison, quartier général de leur groupe de copains, le meilleur des mondes n'était pas un titre de roman mais leur propre vie. Quant à Georges à la responsabilité paternelle allégée, heureux « born again », il voulait empêcher sa propre mère de vivre à sa guise. J'ai demandé aux jumeaux : « Avez-vous appelé votre grand-mère récemment ? » « On a pas eu le temps », a répondu Maud. « Papa nous a informés qu'elle avait un amoureux, a ajouté Albert. On n'arrête pas le progrès. » C'était dit sans malice, par-dessus le marché.

13

J'apprends par Louise que Rachel a enfin rencontré le Séfarade de sa vie, elle qui l'espérait bien avant de tomber sur David Tremblay il y a deux ans. Louise lui a juré de n'en rien révéler à personne et m'a fait jurer à mon tour de garder le secret. De cette façon, la ville entière sera au courant. Le nombre de fois qu'entre amies l'on jure sur notre amitié, sur la tête de nos enfants et parfois même sur celle de nos mères, ne se compte plus. Le potinage est un art, mineur, j'en conviens, mais un art tout de même lorsqu'on l'entoure de mystère et de rites. Que saurait-on du passé si les gens avaient pratiqué la discrétion ? Selon Louise, notre amie tente de ne pas s'emballer, mais elle lui a confié que son Marocain est « the man of all dreams ». Malheureusement, il vit en Floride la plupart du temps. Sa femme l'aurait quitté parce qu'elle ne tolérait plus ses absences répétées à cause de son travail trop accaparant. Le hic ?

Louise ignore à quoi il s'occupe, Rachel reste vague sur le sujet, mais ne voit aucun inconvénient au fait que le Max en question soit une bête de travail, elle-même se qualifiant de workaholic. Elle le rejoint à Palm Beach pour un long week-end dans une semaine. La maison du « dearest friend » serait « gorgeous ». Il lui a montré des photos. « Curieux », ai-je pensé. Max pratique un humour irrésistible, apparemment. « C'est reparti », ai-je dit à Louise. Elle a cru que je me moquais. Par les temps qui courent, la pauvre prend tout au premier degré. Les anti-dépresseurs (elle aussi en avale) auraient-ils une influence négative sur sa perception des choses ? Satsuo l'a rappelée de Toronto. Paraîtrait qu'il s'ennuie d'elle. « Tu lui as dit sayonara, j'espère ? » « J'ai fait mieux, je l'ai engueulé en québécois. Il a eu peur et a raccroché en hurlant à son tour. » Elle m'a menti, j'en suis convaincue, sa détermination de couper les ponts avec lui en a été ébranlée. Ça me préoccupe mais de quel droit lui dirais-je qu'elle est repartie dans la spirale affligeante de l'espoir ? Si je n'exécrais pas ce sentiment, j'en aurais pitié.

L'avion de Rachid a subi un retard de trois heures, si bien que je suis revenue à la maison pour trouver les jumeaux, Victor et Caroline, complètement ivres ou stone, ou les deux. En m'apercevant, Maud s'est arrachée des bras de Victor et m'a apostrophée sur un ton de reproche : « Qu'est-ce que tu fais ici ? » Les garçons, eux, ont réagi comme des enfants pris en flagrant délit. J'ai respiré bruyamment à pleins poumons et je me suis retirée après les avoir remerciés de cette fumée ocre inhalée gratuitement. La Caroline semblait se ficher de ma présence et c'est mon fils, moins qu'adoré à cet instant, qui s'est soutiré de ses caresses inoffensives mais déplacées dans les circonstances. Le Victor de Maud aurait voulu être ailleurs. Bon point pour lui et une autre mauvaise note pour l'égérie actuelle d'Albert. Seule consolation : les filles ne font que passer dans sa vie. A mon habitude, je me suis enfermée dans ma chambre. J'ai ouvert la télé et passé l'heure suivante à zapper d'une niaiserie à une débilité. Ça m'a laissé l'esprit alerte pour réfléchir à mon sort. Les enfants refusent mon offre, Rachid ne m'interroge plus sur un possible avenir commun et je flotte entre deux eaux. On a frappé à la porte. Avant même que je dise « entrez », Maud, telle qu'en elle-même, avait surgi. « Ne te fie pas aux apparences et t'imagine pas qu'on fume tous les jours. » « Enlève-toi de mon champ de vision », lui ai-je répondu. Mais elle ne bougeait pas, s'étant mis en tête de me convaincre que le quatuor n'avait pas ingurgité les bouteilles de scotch et de vodka vides ni fumé les joints qui remplissaient les cendriers. Devant les sornettes qu'elle continuait à déverser, j'ai gueulé : « Sors de la chambre, Maud. » Aucune réaction. Elle débitait des phrases comme des slogans : « On ne fait rien de mal. C'est exceptionnel. On se détend. » Je me suis levée du fauteuil où je m'étais affalée et, prenant ma fille par les épaules pour la forcer à me regarder, j'ai prononcé doucement, sans hausser la voix et en détachant bien les mots : « Maud. Je m'en fous... » D'abord saisie, elle a ensuite fait demi-tour et, avant qu'elle soit hors de portée, je lui ai balancé ma main au derrière. La dernière fois que j'avais fait ce geste, elle avait cinq ans. Cette fois, Maud s'est cabrée, s'est retournée et s'est avancée vers moi pour me sauter dessus. J'ai poussé un cri strident qui l'a paralysée sur place. J'ai entendu Albert grimper l'escalier en courant. « Foutez-moi le camp », ai-je hurlé avant qu'il ouvre la bouche. Non, décidément, les crises familiales, mon système nerveux ne les supporte plus. Le téléphone a alors sonné. Rachid venait d'atterrir. Et je n'étais pas à l'aéroport pour l'accueillir. « Merde », ai-je murmuré. « Pardon ? » a-t-il demandé. « Excuse-moi, j'arrive », ai-je ajouté. J'ai roulé à tombeau ouvert. On ne court pas après son destin sans prendre des risques.

En me rendant à l'aéroport, j'avais tout planifié. On rentrerait chez lui. Je lui offrirais la bouteille de champagne cuvée royale que je gardais depuis longtemps pour une occasion qui ne s'était encore jamais présentée et, à partir de ce moment, j'improviserais. Mon intention étant de lui annoncer que j'envisageais des jours heureux avec lui, j'ignorais si cette déclaration devait se faire une coupe à la main, avant ou après l'amour. Car je ne doutais point de son désir de s'emparer de mon corps, que j'avais enduit durant quatre jours d'une crème achetée à un prix inavouable, recommandée à une copine par une pure étrangère chic d'allure à côté de laquelle j'avais déjeuné dans un bistrot. Preuve que les publicitaires se laissent influencer comme tout le monde par n'importe qui. Quand j'ai aperçu Rachid, j'ai deviné que le plan échouerait. Il semblait impatient, marchait de long en large en regardant dans toutes les directions. En me voyant, sa figure ne s'est pas éclairée. J'ai senti mon cœur non pas tourner sur lui-même mais bondir dans le vide à la manière d'un bungee au bout de son élastique. Une fois devant lui, j'ai hésité. Lui sauter au cou devenait hors de question. Il s'est avancé, a effleuré ma bouche, en fait ses lèvres ont frôlé la commissure gauche et il m'a annoncé qu'il devait se rendre à l'hôpital. Il était sept heures du soir, c'était impossible qu'il fût de garde, que me cachait-il ? Je ne lui demanderais pas. J'ai pris le ton le plus naturel en jouant à la fois l'enjouée et la très légèrement déçue et j'ai dit :

« Votre chauffeur est à vos ordres. » J'aurais voulu me rouler par terre en boule car les premiers signes de panique s'étaient manifestés. Ma tension artérielle grimpait, je sentais autour de mes tempes et sous les yeux cette chaleur familière et j'avalais comme si une balle de golf s'était logée dans ma trachée. Une fois dans la voiture il a semblé se détendre, si je peux qualifier de détente le geste quasi automatique de me frôler la main que je laissais traîner volontairement sur le manche de la boîte de vitesses. Mais il l'a retirée rapidement et j'en ai conclu à la distraction routinière. J'ai roulé à grande vitesse et il n'a pas fait de remarque, ce qui ne manque pas en temps normal. Depuis l'aéroport, tout dérivait très loin de mes projets. Je l'ai déposé à l'urgence de l'hôpital, selon son désir, pourquoi à l'urgence, ai-je pensé, et il est descendu en prenant soin de retirer son bagage du coffre. J'ai compris que la nuit d'amour n'aurait pas lieu.

J'ai appelé Louise en pleurant à chaudes larmes. « Arrive », a-t-elle dit. Pendant le reste de la soirée, nous avons échafaudé tous les scénarios d'Hollywood et de Bollywood, soulevé les hypothèses les plus improbables et, à minuit, nous étions Gros-Jean comme devant et à court de vodka. Repartir avec ma voiture relevait du suicide. Or l'idée de dormir dans le même immeuble, quelques étages en dessous de chez Rachid, me replongeait dans l'angoisse que l'alcool avait calmée. Je me suis traînée le plus dignement possible, vu les circonstances, vers la sortie, j'ai appuyé sur les deux boutons de l'ascenseur les plus bas sur le tableau car je n'avais pas mes lunettes et, une fois au rez-de-chaussée, j'ai traversé le hall en saluant faiblement le portier qui, ma foi, en avait certainement vu de plus imbibées. Heureusement, je suis tombée sur un chauffeur de taxi né au pays de Maria Chapdelaine, ce qui m'a sauvée d'un exposé sur le conflit du Proche-Orient ou les troubles au Cachemire. En entrant, je n'ai trouvé aucun message sur le répondeur. Quel crime avais-je donc commis ? J'étais un cran au-dessous de la dévastation.

14

Depuis vingt-quatre heures, chaque sonnerie du téléphone m'électrocute. Et découvrant que Rachid n'est pas au bout du fil, je recommence à me ronger les sangs. Tous ceux qui m'ont appelée se sont excusés, d'où j'en conclus que je réussis à communiquer mon angoisse à chaque interlocuteur, même cette employée de la bijouterie qui m'informait du prix de la réparation d'une montre. Elle s'est d'ailleurs confondue en excuses, ce qui tend à prouver que l'intuition est affaire de sensibilité plus que de familiarité. Cet après-midi, je me suis résolue à composer le numéro de l'appartement de Rachid et je suis tombée sur sa boîte vocale. Pas question de laisser un message. J'ai quand même retéléphoné à quelques reprises pour entendre de nouveau sa voix, allant jusqu'à espérer qu'elle me livre la clé de son silence. Fou, puisque l'enregistrement doit dater d'un an ou plus. Son cellulaire demeure fermé et, là encore, la voix reste énigmatique. J'ai résisté à la tentation d'appeler son bureau ou l'hôpital, l'idée que des étrangers perçoivent mon désespoir ou m'annoncent un drame m'est insoutenable. La seule personne à qui j'aurais eu envie de me confier est ma belle-mère, mais pas question de perturber une femme de son âge à qui le temps de la sérénité est compté.

J'ai donc décidé de rester enfermée dans mon bureau. De toute façon, je suis incapable d'avaler ne fût-ce qu'un grain de riz. Je bois des litres d'eau, ce qui m'oblige à des allers-retours aux toilettes, seule activité qui me distrait et m'empêche de sombrer. Ouvrir la porte, marcher dans le couloir, tirer la chasse d'eau, me laver les mains en évitant de me regarder dans le miroir, revenir sur mes pas, m'affaler dans mon fauteuil, fixer mon regard dans le vide, telle est la limite de mon énergie. L'idée de traverser une deuxième nuit étendue sur mon lit à broyer des idées plus noires que l'encre me répugne si fort que je suis tentée de rester ici cloîtrée entre ces quatre murs à attendre la fin du monde. Louise m'a contactée à cinq reprises et la dernière fois je l'ai suppliée de cesser ses appels. C'est elle qui m'a conseillé de me terrer dans mon bureau, « le seul endroit où tu es vraiment chez toi », a-t-elle dit. Elle a raison.

Pourtant, ça me déprime de constater qu'un seul lieu, celui de mon travail, m'appartient en propre.

J'avais dû m'assoupir sans m'en rendre compte car la sonnerie m'a réveillée. Ma montre indiquait minuit moins le quart. J'ai dit « allô » en sachant que c'était lui. Quelle force intérieure m'a retenue de demander « où es-tu ? Que se passe-t-il ? ». J'ai écouté la tessiture de sa voix, je me suis concentrée sur ses intonations, j'ai cherché dans sa façon d'articuler la réponse à son terrible silence. « Tout va bien, rassure-toi. » J'ai retenu mes larmes et ma colère, j'ai masqué mon inquiétude et mon envie violente de l'engueuler. « Je t'aime », a-t-il murmuré en raccrochant. J'aurais juré qu'il avait étouffé un sanglot. J'ai ramassé mon sac et j'ai roulé dans la nuit glacée en me méfiant des feuilles mortes sur la chaussée mouillée qui rendaient le freinage glissant aux intersections. La tête vide, courbaturée comme après un effort physique excessif, il me semblait que je n'atteindrais jamais la maison. Rien d'étonnant, je roulais à quinze kilomètres à l'heure. Ce ralentissement involontaire m'a obligée à constater que l'urgence qui caractérise mon mode de vie servait en quelque sorte de paravent à la peur du vide qui m'habite.

J'ai rêvé à ma mère. Elle nageait dans un lac inconnu, plongeant à intervalles réguliers comme les cormorans. A chaque plongeon je fixais mon regard sur l'eau, tentant de deviner l'endroit d'où elle surgirait. Quand elle revenait à la surface, ça la faisait rire. Moi pas. En m'éveillant, j'ai éprouvé un malaise. Une espèce d'étourdissement. Pas celui familier des hormones qui valsent mais un autre, inconnu, qui m'a rendue perplexe. Ça n'était plus la pièce qui tournait mais plutôt moi, bien que je fusse couchée et immobile. J'ai pensé « Pas de bureau aujourd'hui », puis l'idée d'avoir à partager la maison avec la troupe d'ados a fouetté ma torpeur. Albert s'est pointé au moment même où je m'apprêtais à sortir du lit. Il s'est approché pour m'embrasser. J'ai su, à sa façon d'effleurer mes joues, qu'il avait besoin de moi. Du coup, la pensée de Rachid s'est estompée et l'étourdissement a disparu.

J'aurais dû m'en douter : Albert veut quitter la maison et surtout se séparer de sa sœur. « Depuis que papa a eu sa fille, il n'a plus de temps pour Maud et c'est moi qui lui sers de père. Je n'en peux plus. Et tu le croiras ou pas, elle est jalouse de Caroline. Avant-hier, elle m'a fait une scène en me disant que je me laissais mener par le bout du nez. » « Elle a tort ? » ai-je demandé car j'avais moi aussi constaté que Caroline se comportait en princesse capricieuse avec lui. « Tu devrais savoir, maman, que la relation de couple repose sur le mystère et qu'il ne faut jamais se fier aux apparences. Caroline me convient pour le moment, je ne connais pas l'avenir et ma sœur est la dernière personne à qui je confierais mes angoisses existentielles. » Je n'allais pas l'approuver, il risquait de s'en vanter à Maud au cours de la prochaine dispute. « Tu veux habiter avec Caroline ? » Il m'a regardée avec l'attendrissement qu'on réserve aux enfants trop candides. « Chère mère, t'as les réflexes de ta génération. Et tu voudrais peut-être que je me marie en prime ? Non, j'aimerais avoir un appartement que je partagerais avec un coloc pour réduire les frais. Je refuse que tu m'en achètes un, Maud en voudrait un aussi. Elle s'imagine que tes finances sont illimitées. Ça n'est pas mon cas. » « Je vais t'aider en payant ta part de loyer », ai-je dit. « Ta générosité te nuira, un jour. » Il avait l'air vraiment d'y croire. « Si je t'embrasse maintenant, vas-tu penser que c'est par pure convention ? » J'ai fait oui de la tête. Il s'est penché, j'étais à demi étendue, appuyée sur les oreillers et, avec une gêne légère, il m'a enlacée en me ramenant vers lui doucement. « Je te le rendrai au centuple », a-t-il ajouté en reculant. J'ai lancé : « Pas un mot de plus. Tu vas te trahir. » Il n'a pas pris la peine de répliquer. Il m'a simplement envoyé des baisers soufflés. Une fois la porte refermée, je me suis surprise à sourire aux anges. Il a rouvert la porte pour me surprendre, un petit jeu entre nous depuis qu'il est petit et, d'une voix caverneuse, il a prononcé sa sentence : « Maud est condamnée à se débrouiller sans moi. Fini la vie de jumeaux. De toute façon, on est faux. » Puis il m'a fait un gros clin d'œil et est ressorti vivement. La journée s'annonçait mouvementée.

Rachid insiste pour que nous passions la nuit dans une auberge le long du Saint-Laurent où nous avions nos habitudes au début de notre rencontre. Ce soir, je serais prête à me rendre chez les Inuits à Fort Chimo pour découvrir les raisons de son long silence et connaître les suites de sa déclaration d'amour de la nuit dernière. Je ne me sens pourtant pas tout à fait rassurée. Pour tuer le temps qui me sépare du rendez-vous, j'ai fait des courses afin de remplir le frigo et le garde-manger tout en me plaignant à moi-même de cette servitude. « Ça achève, ma fille » que je me suis dit en lançant un chapelet de jurons après avoir brisé trois bouteilles trop lourdes pour le sac qui les contenait. Me taraudait aussi le cas Maud. Comment l'aborder, celle-là ? M'attendre au pire m'apparaissait sage. Vers seize heures, j'ai cessé d'encombrer mon esprit de toute pensée importune. Le « Think positive », credo américain qui a fait ses preuves, je l'ai remplacé par le « Don't think at all ». Lorsque Rachid est venu me cueillir à la maison, j'avais la tête vide et le cœur en bandoulière, prête à dégainer.

J'ai passé une nuit blanche. L'émotion du bonheur efface le sommeil. Connaissais-je vraiment Rachid avant ce moment-là, ce Rachid bouleversant et vulnérable que la terreur avait habité durant trois jours ? A Grand Rapids, il avait éprouvé des maux de tête violents, accompagnés de vomissements. Lorsqu'il a constaté une amputation de son champ visuel, il a diagnostiqué lui-même : migraine ophtalmique. Tant de ses patients en souffrent. Mais le dernier jour du congrès, devant la virulence de la douleur, il s'est confié à un confrère qui l'a mis en garde : « Et si c'était une tumeur au cerveau ? » Rachid y pensait aussi. Alors, sans prévenir, la panique s'est emparée de lui. « Pourquoi ne pas m'avoir téléphoné ? » ai-je dit naïvement. Je t'aurais rassuré. » « Seuls le scanner et la résonance magnétique pouvaient le faire, ma chérie », a-t-il répondu. Pendant qu'il racontait, je lui caressais les cheveux et la nuque, il aime que je laisse courir mes doigts le long de sa nuque et, pour la première fois, je prenais conscience de sa fragilité. Non seulement je pouvais le perdre mais lui aussi croyait qu'il pouvait mourir. Il a dit : « Allons-nous continuer à vivre dans ce flou artistique, chacun chez soi au nom d'un principe

que j'ignore ? » « Comment dire... », ai-je balbutié.
« Justement, a-t-il rétorqué, ne cherche pas. Nous
n'avons plus vingt ans et, si je n'ai pas besoin de toi
pour vivre, tu ajoutes à ma vie une lumière dont je
ne peux plus me passer. Même tes feintes et tes
fausses distances me sont attirantes. » « J'ai encore
des responsabilités vis-à-vis des jumeaux », ai-je
répliqué mollement. Albert allait partir, Rachid
l'ignorait encore et, avec Maud, il s'agissait d'une
question de temps et de doigté. A vrai dire, depuis
quand l'épanouissement de leur mère importe-t-il
aux enfants ? Mon avenir à moi, qui s'en préoccupait
à part Rachid ?

Son regard ne se détachait pas de mon visage.
Tant que je n'ouvrirais pas la bouche afin qu'il
entende les mots qui transformeraient son infinie
patience en certitude, j'étais emprisonnée. J'ai fermé
les yeux pour me concentrer sur l'instant. Et dans
un éclair j'ai fait basculer ma vie : « Tu es bien sûr
de vouloir me supporter jusqu'à la fin des temps ? »
Il a écarté doucement mon bras qui reposait sur son
épaule, s'est levé et m'a tendu les mains pour me
tirer vers lui. Il m'a entouré la taille de son bras et
de l'autre a appuyé ma tête doucement dans le creux
de son épaule. Nous sommes restés de longs instants
sans bouger, à écouter le silence que brisait le cra-
quement des branches secouées par le vent de

novembre. Puis, Rachid m'a soufflé à l'oreille : « L'hiver prochain, je voudrais que tu deviennes ma femme. Grâce à toi j'ai découvert l'amour dans le froid, ce paradoxe à ton image. » J'ai fondu en larmes en sachant que l'émotion que je ressentais ne me quitterait jamais. Et cette certitude, je la vivais comme la plus grande preuve d'amour.

Lorsque j'ai demandé à Rachid, en retournant vers la ville, de ne pas ébruiter notre projet de mariage, il a été pris d'un fou rire qui a duré dix minutes. « Je suis déjà étonné que tu n'aies pas prévenu ton réseau par portable dès cette nuit. » J'ai joué à l'outrée et ça l'a amusé davantage. De fait, il m'apparaissait déjà différent. Plus enjoué, plus léger, plus transparent aussi. Et cette fois, je ne me suis pas gardée de le lui dire. Les faux-semblants n'avaient plus leur raison d'être. « Je vivais seul, j'ai cru être atteint d'une maladie qui pouvait être mortelle, je respectais la distance que tu établissais entre nous et voilà que je retourne chez moi rassuré sur ma santé, ma future femme à mes côtés. N'y a-t-il pas là raison à jubiler ? » J'ai effleuré sa joue en murmurant : « Regarde devant toi », il était au volant et il a répondu : « Où que je pose les yeux, tu es présente. » Je me suis tue puis j'ai imaginé que j'étais en train de rêver et qu'au réveil je découvrirais ma vie d'avant. Privilégiée, sans routine certes mais compartimentée, incomplète, sans l'incandescence de la présence d'un homme aimé.

En rentrant, j'ai rassuré Louise, après m'être reproché de l'avoir inquiétée à ce point. J'avais oublié que les gens malheureux s'approprient le malheur des autres et l'amplifient pour se tenir à distance du leur. Je lui ai menti sans remords à propos de Rachid. L'histoire de la migraine ophtalmique allait alimenter les conversations et qui sait si, au bout du récit chaque fois réadapté, Rachid ne se retrouverait pas victime d'une tumeur cancéreuse inopérable au cerveau, alors que je deviendrais la pauvre Jeanne, veuve avant même d'avoir été épouse, celle sur laquelle la malchance s'acharne après l'abandon subit d'un mari si bel homme, discret et raffiné. Les ragots sont apparus avec les humains mais les médias, en les sacralisant et les propulsant au premier rang, leur ont donné leurs lettres, non pas de noblesse mais de créance. Dieu m'en garde, j'ai tué un ami de Rachid que j'ai fait passer outre-tombe suite à un infarctus pour expliquer son comportement bizarre au retour des États-Unis. « C'est étrange, a dit Louise, c'était pas compliqué de te mettre au courant. » « C'est un ami intime. Ça l'a trop bouleversé », ai-je répondu. « Il est vraiment émotif. Tu vois, je n'aurais jamais deviné ça. Tout

de même, sans vouloir te troubler, as-tu parfaitement
confiance en lui ? » « Absolument », ai-je répliqué.
Elle a gardé un silence éloquent à l'autre bout du
fil. En raccrochant, je riais de cet étrange paradoxe
de l'amitié ; ce sont toujours ceux qui nous veulent
du bien qui distillent l'inquiétude quand le ciel est
au beau fixe...

C'est à belle-maman que j'ai confié mon secret.
« J'espère, chère, que je serai en forme pour le
mariage l'an prochain. Certains matins, je dois faire
un effort pour me jeter en bas du lit. Si je m'écoutais,
je resterais couchée. Comme les saumons, on revient
tous là où on est né. Nous c'est dans le lit, eux dans
le lit des rivières. » J'ai souri malgré moi car jamais
je ne m'accommoderai de ses conversations sur sa
mort anticipée. « Pfitt..., a-t-elle lancé en faisant de
la main le geste de l'au revoir, on part sur la pointe
des pieds. A mon âge, ça ne dérange personne. Quelques petites larmes. "Elle était au bout de son rou-
leau", disent-ils. » Pourquoi choisissait-elle ainsi ce
moment heureux pour exprimer sa peur de mourir ?
« Hector va bien ? » ai-je demandé pour faire diver-
sion. « Trop bien, chère enfant. Il veut m'emmener
en Chine. J'ai fait la gaffe de mentionner devant lui
que ne pas avoir visité la Chine sera mon seul vrai
regret. » « Profitez-en », ai-je dit, mais l'idée de la

voir partir à l'autre bout du monde ne m'enchantait
pas. « Vous croyez vraiment que c'est tenter le
diable ? Imaginez ma nécrologie. Née à Cap-aux-
Oies, Québec, décédée à Zhengzhou, Chine. Ça fait
jet set, ma chère. » Quelque chose clochait.
« Qu'est-ce qui vous préoccupe ? ai-je demandé. J'ai
l'impression que vous me cachez quelque chose. »
Elle m'a observée quelques secondes en hochant la
tête de gauche à droite, l'air de dire : je devrais me
taire. « Mes enfants sont revenus à la charge à propos
d'Hector. Luce voudrait même que je prenne rendez-vous avec un neurologue sous prétexte que j'ai
dû appeler Georges pour obtenir son numéro de
téléphone dont je ne me souvenais plus. Que vou-
lez-vous, j'ai perdu mon carnet dans mon déménagement il y a deux ans, j'appelle rarement ma fille
et son numéro est confidentiel. Elle se prend pour
une vedette qui recherche l'anonymat. Je ne vous
cache pas que si je n'avais Hector dans ma vie et
vous et les jumeaux, j'aimerais mieux mourir que
d'assister à ce spectacle de mes propres enfants se
discréditant devant moi. Heureusement que mon
mari n'est plus de ce monde. Il avait des défauts
mais il était droit. » Écœurée, je lui ai demandé si
elle me permettait d'intervenir auprès de Georges.
« C'est le moins actif dans toute cette histoire »,
a-t-elle précisé. « Justement », ai-je ajouté. « A ma

place, vous diriez oui à Hector ? » « Pour la Chine ? »
« Non. Pour m'installer avec lui. » J'étais bouche bée
mais me suis reprise sur-le-champ. « Pourquoi pas ?
On ferait un double mariage. » On a ri, on s'est
regardées, incrédules, puis on a scellé notre pacte
avec Madame veuve Clicquot notre alliée.

15

Inévitable. En manière de provocation, Albert a balancé à sa sœur la nouvelle de son déménagement, si bien que j'ai ramassé cette dernière à la petite cuillère. Elle faisait pitié. « Vous m'avez trahie tous les deux », m'a-t-elle dit. Le choc est si fort qu'elle est incapable de colère alors qu'en d'autres circonstances sa rage aurait tout emporté sur son passage. Albert a fait preuve d'une cruauté que je ne soupçonnais pas et qui me dérange. A moins qu'il ne surestime sa bagarreuse de sœur. J'ai d'abord rassuré Maud qui, toute à son drame, se voyait écartée du triangle que nous formons. « Tu devais bien prévoir qu'un jour ton frère et toi partiriez chacun de votre côté », lui ai-je dit. « Je suis pas niaiseuse, a-t-elle répliqué, mais dans mon scénario mon frère et ma mère ne complotaient pas dans mon dos. » J'ai protesté devant l'accusation tout en me reprochant d'avoir tardé à la mettre au courant au sujet d'Albert.

Maud réussit à m'attendrir quand elle devient démunie de la sorte. Je comptais faire part aux jumeaux de notre décision, à Rachid et à moi, du coup il me paraît plus sage de reporter l'annonce. Les gens n'ont que le changement à la bouche mais, quand il apparaît, ceux qui l'ont appelé de leurs vœux trouvent tous les prétextes pour le fuir. Le petit oiseau poussé hors du nid des livres d'enfants a moins envie de s'envoler qu'on ne le croit. Albert prend du large mais en s'assurant qu'il ne se retrouvera pas seul dans un logis vide, et Maud, malgré son indépendance affichée, demeure la plus sédentaire des nomades. Quadrature du cercle. Rachid et moi voulons vivre ensemble, je vis avec ma fille (Albert se case), Rachid vit seul ; Rachid, Maud et moi dans une maison commune ? L'enfer pavé de bonnes intentions. Comment trancher le nœud gordien ?

S'il m'arrive de ressentir un pincement au cœur, manière dont le doute me frôle l'esprit, j'affiche une gaieté communicative depuis cette nuit déterminante. En pleine réunion, dans un magasin, sur la chaise de dentiste de Louise en train de me limer une dent, la seule pensée de Rachid me plonge dans une béatitude que je croyais réservée aux mystiques ou aux inconscients. « Tu es mon élue », a dit Rachid après que j'ai laissé tomber les dernières défenses et répondu comme des millions de femmes : « Oui, je le veux. » Je crois Rachid, je crois tout ce qu'il me dit. Que je suis unique, parfois insupportable, souvent imprévisible, et qu'il ne cessera pas de m'aimer même après son dernier souffle. Il a dit : « Je crois au ciel parce que c'est le seul endroit connu pour se retrouver éternellement. » Il dit aussi : « Jamais plus, nos silences ne seront vides », et je comprends l'inutilité parfois de la parole. Il répète souvent : « Je t'aime sans effort », mais cette phrase, je n'arrive pas encore à la lui répéter. Ça ne le rend pas triste pour autant. Est-ce l'influence de sa culture qui explique la transformation si visible de son comportement depuis qu'il a l'assurance que je vais l'épouser ? A ce jour, son côté traditionnel m'avait échappé. Je n'imaginais pas l'importance qu'il accordait au mariage, flottant, de mon côté, dans la soupe post-libération, anticonformiste, néo-dérision. J'affichais l'étiquette « Revenue de tout » mais, je le confesse, mon détachement officiel recouvrait une vieille conviction, à savoir que la vie s'affadit au fil du temps en écartant le risque d'aimer.

J'ai réussi à persuader Georges de calmer ses sœurs. « Vous n'avez pas le droit d'empoisonner la vie de votre mère, ai-je affirmé après avoir écouté ses stupides arguments sur la fragilité psychologique des vieux. Tu n'es pas fragile, toi ? » « Bien sûr », a-t-il répondu, trop content que je m'apitoie sur lui. « Eh bien, je n'ai jamais pensé te faire déclarer psychologiquement inapte quand tu as décidé de nous quitter. » Je n'en croyais pas mes oreilles. Pour la première fois, j'osais aborder notre séparation. « Ça aurait été un comble », a-t-il répliqué et j'ai deviné au ton de sa voix que j'avais cogné plus fort que nécessaire. Qu'est-ce qui m'arrivait tout à coup ? Je me suis reprise sur-le-champ puisque mon seul désir était d'en faire un allié. « Ça a été dur pour moi, ai-je enchaîné, mais j'ai fini par comprendre que je ne te rendais pas heureux. Appelons ça une incompatibilité de vieillir ensemble » (j'inventais et je sentais que je marquais des points). Il a toussé, il gagnait du temps pour trouver la réplique la plus sentie. « Tu fais fausse route, Jeanne. Je t'ai quittée parce qu'il y avait longtemps que tu m'avais aban-donné. » Voilà qu'il me renvoyait la balle. « Si tu l'as vécu ainsi, évidemment, tu n'avais pas d'autre choix que de me quitter. » Je ne me reconnaissais pas. J'assumais le rôle de la méchante. Ça disposait Geor-ges à plus de compréhension à l'endroit de sa mère pour freiner ses sœurs et leur conduite inqualifiable. « Je parlerai à Luce, c'est la plus virulente, m'a dit Georges. Tu le connais ce type ? » a-t-il ajouté. J'avais gagné la partie en acceptant des torts que je ne me reconnais pas, hors de question de la perdre en vantant les mérites d'Hector. « Je l'ai croisé. C'est un homme bien et très riche, d'après ce que j'ai cru comprendre. » « Ah oui ? » Je venais de ferrer le poisson. Il était temps de terminer cette étonnante conversation. Georges n'a pas osé me questionner plus avant mais il brûlait du désir d'en savoir plus. « J'irai voir ma mère, si ça peut la rassurer », a-t-il dit. Voilà qu'il jouait au bon fils. « Ça serait une bonne action », ai-je ajouté avant de raccrocher en serrant le poing et fléchissant l'avant-bras comme le font les jeunes quand ils réussissent un coup fumant ou fourré. « Yes », me suis-je écriée.

J'ai sous-estimé encore une fois la capacité qu'a Maud de rebondir quand elle se sent attaquée ou rejetée. Elle m'a annoncé ce matin, en coup de vent, ça lui évite de discuter, qu'elle avait trouvé un appartement. « Je m'installe avec ma copine Marie-Soleil. » J'ai dit : « Qui est Marie-Soleil ? » « Une vieille amie de l'école primaire que j'ai retrouvée à l'université », a-t-elle répondu sur un ton sec et implacable que ne justifiait aucunement ma question. J'ai rétorqué : « C'est curieux, tout de même, cette décision rapide. Es-tu bien sûre de vouloir habiter avec une fille que tu connais à peine ? » « Si je me réfère aux difficultés que j'ai connues avec toi, ce serait plutôt un avantage. » J'ai pensé : « Glissez, mortels » et je me suis mordu l'intérieur de la joue assez fort pour m'empêcher de l'engueuler. « Elle vient de rompre avec son copain et ça l'arrange que je déménage le plus tôt possible. J'ai décidé d'attendre, après Noël. Elle sera trop déprimée pendant les fêtes et j'ai pas envie que ça me gâche mes vacances. » « C'est un bon calcul », ai-je ajouté, mais son excitation l'empêchait de saisir l'ironie. « Je suis fière de mon coup. Je dame le pion à Albert qui, à son habitude, ne sera pas foutu de s'organiser. C'est donc moi qui pars la première et je vais le faire capoter en le lui annonçant. » Et je souhaitais bonne chance à cette Marie-Soleil dont le prénom trahissait des parents cool. Elle aura besoin de cette hérédité pour supporter Maud et la smala qui l'entoure. J'ai simplement ajouté : « Il nous reste donc un mois et demi de vie commune. » « Ah ! ma mère et ses formules chocs. Plus déformée professionnelle que toi, ça se trouve pas. » Elle s'est tout de même penchée pour m'embrasser avant de détaler. Comme dans un casse-tête, les morceaux s'imbriquaient. « A ton tour, ma vieille, d'annoncer la nouvelle aux jumeaux », me suis-je dit.

« Nous annoncer quoi, maman ? » J'avais apparemment parlé à haute voix et, surgissant dans la cuisine, Albert m'avait entendue. Embêtée, j'ai failli rétorquer : « Ça ne te regarde pas. » J'ai plutôt bafouillé : « Eh... rien d'important. On en parlera quand ta sœur sera là. » « Pauvre maman, je te connais comme si je t'avais tricotée. T'as pas de secret pour moi. Tu veux vivre avec Rachid ? C'est ça, ta grande nouvelle ? » Je l'ai regardé, il me souriait, l'air intimidé et fier de son effet. Je le sentais ému aussi, j'ai voulu ouvrir la bouche mais il a mis le doigt sur ses lèvres pour me signifier de me taire. J'avais les yeux dans l'eau. Il a murmuré : « Toi aussi, tu as le droit d'être heureuse, maman. » Et il a quitté la pièce. Ce trop-plein d'émotions lui était une épreuve qu'il ne voulait pas prolonger.

Rachel reprend du poil de la bête grâce à son coreligionnaire séfarade. Le saut en Floride l'a confortée dans son sentimentalisme débridé. « Sois prudente », lui ai-je recommandé. A quoi bon, puisqu'elle a besoin de cet émoi pour reprendre goût à la vie ? Entre la pharmacopée et la chimie de Max, pas d'hésitation possible. « Et dans l'intimité ? » ai-je osé. « You mean the fucking ? » « Stop », ai-je dit. « The fucking is great. Au-delà de mes espérances », a-t-elle ajouté, trop heureuse de me faire réagir. Elle a retrouvé son tonus, sa verve et cette vulgarité qui, chez une autre, serait insupportable, mais ajoute une couleur à son personnage irrésistible. « By the way, Max is Viagra free. » J'ai répondu : « Merci pour la précision », et l'on a éclaté d'un rire qui s'est vite transformé en larmes. A nos âges, les émotions s'enchevêtrent. On est porté à oublier que le cœur possède sa mémoire propre. « Let's drink to happiness », a proposé Rachel en nous versant une rasade de Limoncello, la liqueur de Capri et Sorrente qui fait fureur parmi les quinquagénaires boudant les desserts pour préserver leur silhouette, en oubliant que l'élixir de citron est bourré de sucre.

Après trois verres, des dés à coudre, assurait Rachel en les remplissant, je n'ai pas résisté à l'envie de lui annoncer la grande nouvelle. « Rachid et moi avons décidé de vivre ensemble », ai-je dit sans mentionner le mariage par crainte de la faire disjoncter. Sage décision, car son excitation m'a inquiétée. Elle propose d'organiser une soirée monstre pour fêter ce qu'elle appelle mes fiançailles. Je l'ai ramenée sur terre. « Surtout pas », ai-je dit en la suppliant de garder le secret. « Why ? » répétait-elle, m'assurant que ça ferait rêver même les plus sceptiques. « Jure que tu le garderas pour toi », ai-je dit sans y croire au moment de la quitter. « Je ne promets rien, a-t-elle répondu. C'est trop merveilleux. »

Rachid étant de garde à l'hôpital, je suis rentrée à la maison et j'ai trouvé Maud seule, ce qui est rare. Elle m'a regardée avec intensité, comme si elle me découvrait. J'ai su, dans l'instant, qu'Albert l'avait mise au courant. Elle a dit : « Tu me dois des explications. » Encore une fois les rôles s'inversaient. Je me sentais comme une enfant prise en défaut. « Allons au salon », a-t-elle dit. Je l'ai suivie. Elle s'est assise à mes côtés, sur le grand canapé. « Écoute-moi bien, maman. » Je me suis rendu compte que, docile, j'acquiesçais du bonnet. « Je suis ta fille, j'ai vingt ans, t'es ma mère, t'en as cinquante-trois (j'ai grimacé malgré moi). Nos rapports sont compliqués, je ne crois pas que ça va s'arranger dans les années à venir (elle laissait une porte ouverte pour le futur), mais j'existe et tu ne peux pas te débarrasser de moi. Ça fait des mois que ta décision est prise (j'ai murmuré : non), peu importe ce que tu prétends. Mon père a refait sa vie, c'est normal que tu refasses la tienne, mais je te préviens : si tu veux me perdre, continue de m'écarter de ta vie. Je ne suis pas faite en béton, tu me fais souffrir, sache-le. » Elle parlait froidement, avec un contrôle impressionnant. Et elle avait raison. J'ai voulu ouvrir la bouche, mais elle m'en a empêchée. « Pas de promesse je t'en prie. Je pense que Rachid a de l'influence sur toi. C'est un homme qui ne parle pas beaucoup mais qui sait observer et je suis sûre qu'il a un bon jugement. » Puis elle s'est tue, les bras croisés, à attendre ma réaction. « Je te remercie de ce que tu viens de me

dire », ai-je articulé, la gorge serrée. Elle a répondu :
« Y a pas de quoi », s'est levée et a quitté la pièce
sans faire un geste vers moi. Je suis demeurée de
longues minutes immobile, toute à mes pensées.
Pour la première fois je réalisais que j'avais été
une mère plus compliquée que je le prétendais et
que je l'avais rendue responsable de notre relation
si agressive. Elle avait des défauts, certes, trop directe,
trop impulsive, qui m'empêchaient de l'aimer de
la même manière qu'Albert. Je préférais ce dernier,
comment le nier, mais, curieusement, j'avais besoin
de cet état de siège dans lequel elle me mainte-
nait. Je lui avais transmis le besoin de lutter pour se
faire aimer, moi qui me débattais tant quand on
m'aimait. Mais Maud, contrairement à moi, fonçait
droit devant et exprimait ses émotions. Elle ne
s'engourdirait jamais dans ses histoires d'amour,
quitte à défoncer des portes ouvertes. Et pour cela
aussi, je l'admirais. Lui avouer était une autre paire
de manches.

Rachid m'a téléphoné avant que je m'endorme.
Il appelle ça : me border par cellulaire. Je n'ai pas
eu la force de raconter les événements de la journée.
J'ai simplement dit : « Les enfants sont au courant,
ils semblent très heureux pour moi. » Il a répondu :
« Pour moi aussi, j'espère. » Il avait annoncé la nou-

velle à son fils qui vit à Kuala-Lumpur. « Et alors ? » ai-je questionné. « Oh ! il m'a souhaité bonne chance. » J'ai trouvé ça bizarre mais, entre les pères et les fils, les liens d'intimité m'ont toujours semblé indéchiffrables. Les relations à distance dans une économie de mots demeurent un mystère pour moi. Albert et son père, qui vivent à quatre kilomètres l'un de l'autre, ne me semblent pas plus proches que Rachid et son fils. Ces derniers se parlent en moyenne deux fois par mois, comme Albert et son père. Mes amies prétendent que c'est un avantage pour les femmes qui refont leur vie de tomber sur des hommes dont les enfants sont élevés et éloignés. Sans le claironner sur les toits, je suis portée à croire qu'elles ont raison. Rachid ne connaît pas cette mesquinerie, heureusement pour moi.

Quel futé a inventé l'expression : téléphone arabe ? Tout ce qu'il y a de chrétien et de juif en ville semble au courant de notre projet de vie commune. Henri est revenu de déjeuner avec dans les bras un bouquet qu'il a déposé sur mon bureau avant de m'embrasser avec une tendresse qu'il affiche rarement. « Tu mérites ce qui t'arrive », a-t-il dit. J'ai répondu : « Tu crois ? » sans comprendre ce qu'il signifiait par là. J'ai failli ajouter : « Rien ne se mérite, tout se gagne », mais j'ai craint encore une fois de tomber dans le piège de la formule choc.

Quant aux copines, hormis le fait qu'elles ont été froissées d'apprendre la nouvelle par un tiers, leur enthousiasme semble proportionnel à leur scepticisme. Les plus désenchantées me souhaitent « quand même » bonne chance. Une vraie mise en garde de la part de ces éclopées de l'amour. Claire, à ma grande surprise, a trouvé l'énergie pour me féliciter avec chaleur. « Je t'envie », m'a-t-elle avoué, ce qui m'amène à conclure qu'il reste une éclaircie dans sa vie de neurasthénique. Seule Louise, en rage, parle de trahison, de coup bas, et me met en demeure de l'inviter à manger en tête à tête dans les quarante-huit heures. « Ça m'a blessée de l'avoir appris par Rachel que tu ne connais que depuis dix ans. » Je l'ai interrompue : « Je ne lui ai confié qu'une partie de la nouvelle. C'est à toi seule que j'annonce la primeur. Tu m'écoutes ? » Je jouais avec ses nerfs pour lui faire payer son ton gueulard. « Oui, oui », a-t-elle répété. A l'évidence, elle mourait de curiosité. J'ai pris ma voix la plus officielle : « Rachid et moi allons nous marier. » « Quoi ! » a-t-elle hurlé au bout du fil. Je suis restée silencieuse, elle a étouffé un sanglot et je l'ai entendue murmurer : « Et si on se leurrait toutes et si c'était toi qui avais raison ? »

Belle-maman a attrapé une vilaine grippe mais semble enchantée de la visite que Georges lui a rendue. « C'est grâce à vous, Jeanne, je ne me fais pas d'illusion. Mon cher fils prétend que j'ai mal interprété leurs propos à lui et à ses sœurs et que je leur fais un procès d'intention. Ils me prennent pour une vieille folle. Ils ont sans doute raison, mais j'aime ma folie. Et je vous aime vous, parce que vous m'aimez aussi. » « Ça tombe bien, ai-je dit, car je m'apprête à en faire une également. » Son excitation, palpable, décuplait mon plaisir. « Non, non, ça serait trop beau. » J'ai demandé : « Quoi ? » « Vous allez vous marier ! » s'est-elle écriée. J'avais l'impression d'une petite fille qui vient de découvrir un trésor. « Vous m'accordez votre bénédiction, j'espère ? » « Chère Jeanne, je vous bénis des deux mains. » Je défie quiconque d'hériter d'une belle-mère aussi exceptionnelle, à l'esprit aussi ouvert. « Ne tardez pas trop, je vieillis chaque jour, vous savez, même avec mon Hector comme eau de jouvence. » Je me suis assombrie. Non sans effort j'ai pris un ton enjoué : « Vous pouvez bien attendre jusqu'à l'hiver. Les mariages dans les bancs de neige, par moins trente degrés, ne sont pas toujours suspects. » Elle a beaucoup ri, mais quand elle a raccroché, j'ai eu un coup de cafard. Je ne voulais pas perdre la seule personne qui, après la mort de ma mère, m'a rassurée et fait comprendre que l'envie de mourir ne se transmettait pas de mère en fille.

Et quoi encore !

Hier soir, Rachid m'a offert une bague ancienne. « Tu es lumineuse comme le XVIIIᵉ siècle », a-t-il dit. Nous étions au lit, enlacés. Il me souriait et j'ai eu la conviction intense et immédiate que le bonheur est un effleurement et que le miracle prend parfois les traits d'un homme.

DU MÊME AUTEUR

Aux Éditions Albin Michel

LETTRE OUVERTE AUX FRANÇAIS QUI SE CROIENT LE
  NOMBRIL DU MONDE, 2000.

OUF !, 2002.

Chez d'autres éditeurs

LA VOIX DE LA FRANCE, Robert Laffont, 1975

UNE ENFANCE À L'EAU BÉNITE, Le Seuil, 1985

LE MAL DE L'ÂME, en collaboration avec Claude Saint-Laurent,
  Robert Laffont, 1988

TREMBLEMENT DE CŒUR, Le Seuil, 1990

LA DÉROUTE DES SEXES, Le Seuil, 1993

NOS HOMMES, Le Seuil, 1995

AIMEZ-MOI LES UNS LES AUTRES, Le Seuil, 1999